Impreso en El Salvador
por HISPASA con el
permiso escrito del autor.

R.P. SLAVKO BARBARIC OFM

DAME TU
CORAZON HERIDO

EL SACRAMENTO DE LA CONFESION:
¿POR QUE?   ¿COMO?...

Traducción al español: Helga Wriedt R.

DECLARACION: De acuerdo al decreto de la Sagrada Congregación para la Doctrina de la Fe, aprobado por S.S. Papa Paulo VI, (1966), está permitido publicar sin necesidad de un imprimatur textos relativos a revelaciones privadas, apariciones, profecías o milagros.

Sin embargo, conforme a las regulaciones del Concilio Vaticano Segundo, el autor declara que no desea de manera alguna anticiparse al juicio de la Santa Sede en relación a los eventos que ocurren en Medjugorje, Yugoslavia. Por tanto, humildemente se somete a la decisión final de la Santa Sede Apostólica. En tal virtud, las palabras "apariciones, mensajes etc." tienen en este caso únicamente el valor del testimonio humano.

NOTA: Todas las citas bíblicas están tomadas de la Biblia de Jerusalén, Nueva Edición (1975), Editorial Española Desclée de Brouwer, S. A., 1976.

Francisco Ma. Aguilera González
Obispo Auxiliar de México

Libro " Dame tu Corazón Herido ".

P. Slavko Barberic, O.F.M.

Se puede imprimir.

+FRANCISCO MA. AGUILERA GONZÁLEZ
Obispo Auxiliar de México
Vicario General.

VI Vicaria Episcopal de la
Arquidiocesis de México
" San José "

6 de diciembre de 1991.

DISTRIBUIDORES:

FLORIDA CENTER FOR PEACE
P.O.Box 431306
Miami, Florida 33143

CENTRO MIR MARIA REINA DE LA PAZ
Colonia América,Calle Benjamin Orozco 213
San Salvador, El Salvador

CENTRO MIR
Apartado 726
Managua, Nicaragua

CENTRO MIR VOLUNTARIAS DE MARIA
Apartado 674-1000
San José, Costa Rica

CENTRO MIR MARIA REINA DE LA PAZ
Apartado 99028, Unidad Independencia
Mexico 10101, D.F.

CENTRO MIR SANTO DOMINGO
Avenida 27 de Febrero 328, Penthouse
Santo Domingo, Rep. Dominicana

CENTRO MARIA REINA DE LA PAZ
P.O.Box 14184
La Paz, Bolivia

CENTROS DE AMIGOS DE MEDJUGORJE
P.O.Box 27181
Santiago de Chile, Chile

CENTRO MARIA REINA DE LA PAZ
Banco de la Republica
Santa Marta, Colombia

CENTRO MARIA REINA DE LA PAZ
Apartado Aereo 729
Manizales, Colombia

CENTRO MARIA REINA DE LA PAZ
Calle 48 No. 35 A-17
Bucaramanga, Colombia

CENTRO REINA DE LA PAZ
V.M.Rendon 440 y Baquerizo Moreno
3er. Piso No.13, Guayaquil, Ecuador

CENTRO REINA DE LA PAZ
G. Iglesias No. 752
Miraflores
Lima 18, Peru

CENTRO MARIANO POR LA PAZ
Iglesia Santa Rosa de Lima
Diocesis de Cabimas
Lagunillas, Estado Zulia
Venezuela

CENTRO MARIANO REINA DE LA PAZ
Calle 29 con Carrera 23
Edif. Doña Petra , 1er. Piso
Barquisimeto, Lara, Venezuela

CENTRO MARIA REINA DE LA PAZ
2666 Mc.Burnley Ct.
San Diego, California 92154

CASA DE ORACION
12 Avenida 1307, Zona 1
Guatemala, Guatemala

CENTRO MIR MARIA REINA DE LA PAZ
Agencia Sempe, Apartado 219
Tegucigalpa, Honduras

CENTRO REINA DE LA PAZ
Apartado 2580
Panama 9-A, Panama

CENTRO DE LA PAZ DE MEDJUGORJE
P.O.Box 748
Isabela, Puerto Rico 00662

CENTRO MIR MARIA REINA DE LA PAZ
Calle Hugo Wast 4613
Cordoba 5009, Rep. Argentina

CENTRO MARIA REINA DE LA PAZ
Edif. Los Tiempos, Plaza Quintanilla
Cochabamba, Bolivia

CENTRO MARIA REINA DE LA PAZ
Carrera 52 No. 75-131
Barranquilla, Colombia

CENTRO MARIA REINA DE LA PAZ
Calle 52, Ave.La Playa No. 40-146
A.A. 054687, Medellin, Colombia

CENTRO MARIA REINA DE LA PAZ
Avenida 2da. D Norte No. 24-27
Cali, Colombia

CENTRO DE PAZ COLOMBIA
Calle 85 No.12-83 Piso 2do.
A.A. 54641, Bogota, Colombia

CENTRO REINA DE LA PAZ
P.O.Box 6252 C.C.I.
Quito, Ecuador

CENTRO MARIANO POR LA PAZ
Quinta Virgen del Carmen
Avenida El Parque, Prados del Este
Caracas, Venezuela

CENTRO MARIANO POR LA PAZ
Estancia La Martinela
Quinta Numidia
Las Guasimitas
Barinas, Venezuela

CENTRO MARIANO POR LA PAZ
Calle 23 entre Avenidas 4 y 5
Palacio Arzobispal
Merida, Venezuela

"... Verdaderamente, María se ha convertido en la <aliada de Dios> en virtud de su maternidad divina, en la obra de la reconciliación.

En las manos de esta Madre, cuyo "fiat" marcó el comienzo de la <plenitud de los tiempos>, en quien fue realizada por Cristo la reconciliación del hombre con Dios y en su Corazón Inmaculado -al cual he confiado repetidamente toda la humanidad, turbada por el pecado y maltrecha por tantas tensiones y conflictos- pongo ahora de modo especial esta intención: que por su intercesión la humanidad misma descubra y recorra el camino de la penitencia, el único que podrá conducirlo a la plena reconciliación."

JUAN PABLO II
Exhortación Apostólica
"Reconciliatio et Penitentia"
Diciembre 2, I Domingo de Adviento, de 1984.

INDICE

PRESENTACION

Después del manual "ORA CON EL CORAZON", me complace ahora presentar una nueva reflexión del Dr. Slavko Barbaric, OFM, que también apela al corazón. En efecto, puesto que este órgano es el centro vital del ser humano, de su existencia, resulta fácil deducir que el propósito de esta meditación lo constituyen igualmente algunos de los principios de la realidad cristiana. En la obra precedente esta realidad se hacía patente a través de la oración; en ésta, sin embargo, se explica a partir del Sacramento de la Reconciliación, es decir la Santa Confesión.

Para el cristiano comprometido, este sacramento es parte esencial y central de su vida de fe, porque una vida que se profesa como tal, no es posible imaginarla sin la contínua reconciliación con Dios y con los hombres. Y esta reconciliación no se alcanza por medio de un compromiso verbal, como sucede entre los políticos, sino a través de la transformación total de la propia conciencia y se realiza precisamente mediante la Confesión, llevada a cabo correctamente.

Ciertamente, existe el temor de que los creyentes no lleguen a comprender este sacramento como debieran y de que esa comprensión no sea además conforme al espíritu del Santo Evangelio. Muy a menudo es entendido en forma demasiado genérica y, sin duda, con ciertas desviaciones también. Así por ejemplo, no son raros los casos en los que dicho sacramento es visto como un proceso agobiante que hay que enfrentar y superar fatigosamente. Cuando finalmente en ciertos círculos comienza a hablarse de la Confesión, se llega a decir y se concluye también que este sacramento no es otra cosa sino revelar los propios pecados y esperar la absolución y la penitencia correspondiente. Y todos los que creen que no están en pecado o los que se alinean con aquellos que

9

no están convencidos de su pecado, destacan el hecho de que, después de todo, ellos no han asesinado a nadie, no han robado nada y tampoco han hecho nada para lastimar a su prójimo. Todo esto y más se puede opinar en relación a la Confesión, pero en tal caso resultaría que no se estarían tomando en cuenta los pecados de omisión.

Otros más, que se consideran muy liberados, argumentan que la Confesión es una carga inútil y se preguntan, por qué no pueden confesarse directamente con Dios, en lugar de hacerlo con Su mediador, o sea el sacerdote, quien después de todo no es sino un hombre igual a los demás.

¡Semejantes reflexiones ponen en claro lo que ya se ha afirmado, en cuanto a que frecuentemente la Confesión se toma con demasiada ligereza y de manera equivocada! La Confesión, de hecho, es antes que nada el encuentro del hombre -en su condición de pecador- con la infinitamente misericordiosa CARIDAD DE DIOS: tal y como lo describe la parábola del HIJO PRODIGO que retorna al PADRE BUENO. La Confesión es además un indefinible acto de amor a Dios y al prójimo: ese Amor que constituye el mandamiento más grande de la Ley de Dios. Por tanto, actuar contra el amor es para el cristiano el pecado más grande: ¡El de traicionar al Evangelio mismo de Jesús!

Resulta entonces, ¡que sólamente quien no ha faltado contra el amor será verdaderamente un hombre sin pecado! ¡Pero los hombres imunes al pecado no existen! A tal grado, que -como se ha mencionado- todo aquel que se definiera a sí mismo como alguien libre de pecado, sólamente porque no ha cometido una fechoría, erraría gravemente. En efecto, se es pecador simplemente cuando no se ha cumplido totalmente con el propio deber conforme a la Ley del Amor. Por tanto, todos somos pecadores y todos estamos heridos por el mal. Para aquel que está herido en el alma, el medicamento y la atención son tan necesarios como es necesaria la curación para aquel que está herido en el cuerpo.

Pues bien, ¡la Confesión es precisamente eso! Es la casa de curación y el "lugar de convalescencia". Es lo que sana nuestro corazón herido. Se hace cargo de nuestro ser enfermo. El médico y El que sana es el Señor Jesús, pero lo hace a través de Su mediador que es el sacerdote que nos confiesa. Si el Sacramento de la Reconciliación llega a comprenderse como verdaderamente debe ser entendido, la Confesión se volverá entonces para el cristiano un acto cada vez más profundo y le será mucho más simple aceptarla.

Esta meditación del Padre Slavko Barbaric ostenta un título muy expresivo: "Dame Tu Corazón Herido", ¡es un signo de confianza hacia este insigne sacramento! No sólo eso, aun más. Es la linfa misma de un corazón lleno de calor que resplandece de amor e invita al amor.

Para terminar, quisiera igualmente llamar la atención del lector en cuanto a lo siguiente. Es posible que se perciba alguna repetición en las partes de este compendio que están dedicadas a la oración. Esto no debiera constituir un elemento de perturbación. Se trata, en efecto, del ímpetu sincero de un alma que no es capaz de sujetarse a las reglas literarias. Por tanto, las repeticiones no son sino reflejos de la llama del amor, que en este caso nunca serán demasiados. En el subtítulo del libro se lee que está particularmente indicado para quienes, estando en Medjugorje, desean confesarse. Pero estoy seguro de que resultará útil también para todos los creyentes y sacerdotes en cualquier otro lugar.

Janko Bubalo

NUESTRO CORAZON ES COMO UNA FLOR

La vidente Marija Pavlovic comenta: "Durante la oración se me ha presentado tres veces la imagen de una flor. La primera vez era maravillosa, fragante, llena de color. ¡Y yo me sentí tan felíz! Después he visto la misma flor cerrada, marchita, había perdido completamente su belleza. ¡Cómo me entristecí! Pero, de pronto, una gota de agua cayó sobre la flor marchita ¡y súbitamente recuperó toda su fragancia y su fulgor! Yo traté de comprender el significado que esta visión pudiera tener, pero no logré entenderlo. Por eso, decidí consultarlo con la Virgen durante una de Sus apariciones. Le dije: <<Madre mía, ¿qué quiere decir lo que yo he visto durante la oración? ¿Qué significado tiene esa flor?>> La Virgen sonrió y me respondió: <<Vuestro corazón es como esa flor. Cada corazón es maravilloso por la belleza con la que Dios lo ha creado. Pero cuando sobreviene el pecado, la flor se marchita y su fulgor se desvanece. La gota que cayó sobre la flor para revivirla, es el símbolo de la Confesión. Cuando vosotros estáis en pecado, no podéis salir de él por vosotros mismos, necesitáis ayuda de fuera.>>"

¡Querido amigo! Estoy seguro de que cuando menos alguna parte de esta experiencia, narrada por la vidente Marija, forma parte de tu propia realidad. Tú también habrás sentido muchas veces que tu corazón es como una flor: palpitante de amor, de gozo y de paz; dispuesto a dar felicidad a los demás y decidido a amar a todos, desinteresadamente. Pero seguramente habrás probado y vivido igualmente momentos, en los cuales tu corazón parecía cerrado, marchito, sin felicidad ni esperanza, sin paz ni amor. Esos son, lamentablemente, los momentos más difíciles y agobiantes no sólo para ti sino también para los que te rodean. Pero finalmente, siempre ha ocurrido alguna cosa y de inmediato te has recuperado, has vuelto a cantar, ¡nuevamente has podido dar a otro felicidad!

Este librito, nacido de la experiencia de los acontecimientos de Medjugorje, tiene la intención de ser una ayuda en tu camino. Pretende ayudarte a comprender, de qué manera tu corazón puede tornarse y permanecer siempre espléndido, como el capullo de una flor llena de fragancia y dispuesta a emanar eso mismo: EL PERFUME DE LA PAZ Y LA RECONCILIACION. ¡En Medjugorje, muchos corazones han sido transformados así! Muchas familias se han convertido en oasis de felicidad y de paz, porque han experimentado la renovación de la conciencia, beneficiada con el rocío de la misericordia de Dios que ha descendido sobre cada uno de sus miembros.

Este librito pretende ayudarte a hacer brotar la flor de tu alma y a gozar de sus frutos: ¡AMOR, BONDAD, PERDON, CARIDAD, PAZ, MANSEDUMBRE, FORTA-LEZA, SABIDURIA! Quiere estar junto a ti, para realizar una labor fecunda y descontaminante.

Sólo los frutos del alma hacen al hombre felíz. Y aun cuando hayas tocado los abismos más profundos del pecado, no se trata de ejercer sobre ti un acto de justicia o de temor, sino de despertar nuevamente en ti el entusiasmo para renovar tu vida. De acuerdo a la convicción de millones de creyentes, la Virgen María los está educando para el futuro. María los está conduciendo a los santuarios dedicados a Ella, a fin de celebrar todos juntos los 2,000 años del nacimiento de Jesús. ¡Es por eso que María se ha quedado tanto tiempo con nosotros! Como ella misma ha dicho en uno de Sus mensajes: "Yo he permanecido tanto tiempo con vosotros, porque quiero enseñaros a amar."

Si este librito realmente logra dar a conocer los frutos de la Escuela de la Virgen, entonces nadie se sentirá condenado y todos podremos encontrar la fortaleza para comenzar a amar a Dios, que es Perdón y Amor. No he sabido de ninguno que haya salido de Medjugorje teniendo "miedo de Dios". Por el contrario, muchos han afirmado: "De pronto he comprendido que El es amor, caridad y perdón." Tantos han comenzado de nuevo a amar al Señor, que es Padre y que quiere el bien de Sus hijos; que escucha con serenidad y que viene al encuentro de cada uno.

Por tanto, este librito pretende ayudarnos a todos nosotros a encontrarnos con Dios, nuestro Padre que crea y renueva; que ama a cada una de Sus creaturas y ¡que Se entristece por todos aquellos que tienen miedo de El!

Este librito pretende convertirse en lo que los mensajes de la Virgen son para la Parroquia de Medjugorje (que son válidos también para todos los que quieran acogerlos): ¡Un estímulo a lo largo del camino que conduce a la PAZ! A la luz de estos mensajes puede afirmarse: "Nadie tiene derecho a permanecer en la incertidumbre, a desesperarse, a atemorizarse, a no continuar adelante." A menudo me han planteado esta pregunta: "¿Por qué la Virgen no hace más reproches en Sus mensajes? ¿Por qué no muestra mejor al mundo los males y los pecados que han dado origen a todos los problemas?"

La respuesta es clara: la Virgen es Madre. María tiene confianza en Sus hijos. Ella sabe que Sus hijos están conscientes de lo que no es bueno ni justo. ¡Ella sabe también que más de las veces es muy fácil discernir "qué cosa no se puede" de aquello "que se puede y se debe hacer"! Es por eso que Ella siempre es positiva, que siempre estimula y exhorta y que nunca se cansa de hacerlo.

Y cuando se recorre el camino justo, siguiendo a la Virgen, entonces los temores que han surgido a causa del pecado se desvanecen; ¡el hombre se decide más fácilmente a librar la batalla contra el mal y la destrucción que lo acompaña!

Estoy convencido de que todos nosotros podemos probar aquello que Ella ha dicho: "¡Haced lo que Yo os digo y no os arrepentiréis!"

MI EXPERIENCIA PERSONAL

Creo que a todos nosotros nos habrá atormentado -y quizá nos sigue atormentando- esta pregunta: "¿Por qué existe el pecado? ¿Por qué hay cosas que son consideradas como un pecado y están prohibidas?"

Estoy convencido de que no pocos habremos sido asaltados por la duda, de que el pecado pudiera ser tan solo una invención creada para atemorizarnos, para mantenernos sujetos, para imponer el orden más fácilmente. ¿No habremos incluso llegado a pensar, en el fondo de nuestro corazón, que el pecado fue inventado por los mayores? ¿Que nuestros progenitores, los sacerdotes, la Iglesia u otros cercanos a Dios se sirven de él para poder ejercer con mayor autoridad su poder sobre nosotros?

Pudiera ser, que después de contar mi experiencia personal, lo que tuvo lugar en mi corazón, todo este asunto nos resulte más claro.

A lo largo de mis años en el seminario, me torturó una cuestión muy simple: "Pero, ¿y qué cosa es el pecado?" No me atrevía a plantear esta duda a otros, porque temía que me pudieran considerar si no estúpido, seguramente ateo. Sin embargo, esta interrogante me persiguió y me atormentó como una sombra negra durante todos mis años de estudio.

Cuando me ordené como sacerdote, me propuse tomar muy en serio la Santa Confesión. Pero esa duda en mi corazón se fue intensificando cada vez más. Después de haber escuchado numerosas experiencias en el confesionario, me dí cuenta de que la mayoría de las personas no comprendían verdaderamente en qué consiste el pecado. Así, las confesiones se iban convirtiendo en una rutina y no implicaban un arrepentimiento sincero.

Siendo un joven sacerdote viví una crisis profunda.

Comencé a preguntarme, "¿por qué existe la Confesión?" ... Desde el altar, nosotros anunciábamos la Buena Nueva, hablábamos del pecado, invitábamos a la gente a corregir sus malos hábitos y actitudes. No obstante, rara vez escuchaba yo en el confesionario que un penitente se refiriera a las palabras de Jesús o a la homilía, como un motivo para decidirse a cambiar su vida. Entonces surgió esta otra pregunta: "¿Qué sentido tiene la prédica? ... ¿Por qué confesarse?¡Trataba de ver cuando menos algún progreso de una confesión a la otra! Y como no lo veía, la pregunta en mi interior se volvía cada vez más compleja y dolorosa.

Estaba consciente de que había comenzado a vivir el drama que envuelve al ministerio de todo sacerdote que no logra darle un sentido, un significado a su misión. ¡Pero igual le sucede a muchos creyentes! Sobre todo los jóvenes tienen muchas dificultades con la Confesión. Ellos enfrentan obstáculos similares y se debaten ante los mismos dilemas: "¿Por qué he de confesarme con un sacerdote?"

Pudiera ser que el problema radique, en que la mayoría de la gente se limita tan solo a confesar faltas superficiales, considerando únicamente la apariencia y no la importancia. Todos los jóvenes, particularmente los adolescentes, atraviesan por esa crisis y frecuentemente sucede que dejan de confesarse. Y he aquí la inquietud del sacerdote: ¡Los que debieran confesarse ya no lo hacen y los que se confiesan lo hacen con superficialidad y ligereza!

Recuerdo bien a una joven creyente que me pidió que le hablara de la Confesión, pero dejando bien claro al mismo tiempo que no tenía intención alguna de confesarse. Su primera pregunta fue: "¿Por qué he de confesarme con un sacerdote, que no es sino un ser humano igual que yo? En su lugar, yo puedo hacerlo directamente con Dios."

Yo permanecí en silencio. Sentía como si hubiera caído en una trampa. ¡Esa era mi misma pregunta! ... No sabía siquiera cómo responderle. Pero le dije: "También yo tengo el mismo dilema. ¿Por qué confesarse cn un sacerdote que no es sino un hombre? ¡Pudiera ser porque los sacerdotes somos muy curiosos y queremos descubrir tus faltas! Creo, sin embargo, que nadie confiesa algo nuevo. El sacerdote conoce todos los pecados, todas las faltas del hombre. Si quieres saber mi punto de vista, ¡ésa es mi misma duda!"

Ahora fue ella la que se quedó callada. Y en ese preciso momento, ambos comprendimos que el Sacramento de la Reconciliación era algo más.

No se trata del porqué debemos confesarnos, sino de algo mucho más profundo.

Se trata de un encuentro, del más extraordinario de todos: ¡Del encuentro con Cristo, en la más maravillosa de todas las modalidades! Es el encuentro del enfermo con el Médico; del pecador con el Santo; del afligido con el Consolador; del humillado con El que eleva a los humildes; del que padece hambre con El que sacia toda hambre; del que se ha extraviado con El que deja las 99 ovejas para buscar a la que se ha perdido.

En suma, es el encuentro entre el que navega en las tinieblas y Aquel que afirma ser la Luz.

Entre el que ha perdido la ruta y Aquel que dice ser el Camino.

Entre el que ha muerto y Aquel que asegura ser la Vida.

Entre el solitario y Aquel que quiere ser el Amigo Verdadero.

Fue mucho lo que ambos hablamos y al mismo tiempo, encontramos la sanación y logramos penetrar más profundamente en el sentido de la Confesión.

"¡Queridos hijos! Hoy deseo envolveros con Mi manto y conduciros a todos hacia el camino de la conversión.

Queridos hijos, os ruego, entregad al Señor todo vuestro pasado; todo el mal que se ha acumulado en vuestros corazones. Deseo que cada uno de vosotros sea felíz, pero con el pecado nadie puede serlo. Por tanto, queridos hijos, orad y en la oración conoceréis nuevamente el gozo. El gozo se manifestará en vuestros corazones y así podréis ser testigos gozosos de lo que Mi Hijo y Yo deseamos de cada uno de vosotros. Yo os bendigo.

¡Gracias por haber respondido a Mi llamado!"

25. 2. 1987

PREGUNTAR Y ESCUCHAR

En busca de una verdadera respuesta a mi interrogante sobre la Confesión y a mi función como confesor, tuve ocasión de charlar con el más grande teólogo de nuestro tiempo, Hans Urs von Balthasar. Yo le dije: "Desde que estoy en Medjugorje y también cuando he viajado al extranjero, me he encontrado con personas que vienen a confesarse únicamente para cumplir con el mensaje que los invita a hacerlo mensualmente, pero que al mismo tiempo afirman: <<No tengo nada que reprocharme, pero de cualquier forma quiero confesarme.>>" También le pregunté: "¿Cómo debo comportarme con esta clase de penitentes? ¿Qué debo decirles?" El sonrió dulcemente y me respondió: "No se inquiere Padre, cuando las personas le digan que no tienen nada qué confesar; agradezca con ellas al Señor porque no han pecado. **Después, hágales esta pregunta: <<¿En todas las circunstancias has amado a Dios sobre todas las cosas y a tu prójimo como a ti mismo?>>**

¡Pregunte y escuche! Porque, ¿quién puede decir que siempre ha amado perfectamente? Y si la persona no puede hacerlo, es porque sí tiene algo que reprocharse y pedir perdón por ello."

En ese momento comprendí el proverbio de la Sagrada Escritura que dice que el justo peca siete veces al día (cf. Prov 24, 16) y también estas palabras de Jesús:

<<Si tu hermano peca, repréndele; y si se arrepiente, perdónale. Y si peca contra ti siete veces al día y siete veces se vuelve a ti diciendo: "Me arrepiento", le perdonarás.>> (Lc 17, 3-4)

Y es que esto sucede con mucha facilidad, aun cuando uno afirme que no odia a nadie y que ama a su prójimo como a sí mismo. Incluso aunque uno afirme que ama a Dios sobre todas las cosas. Creo que no estaremos condenando a nadie, si decimos que nadie puede asegurar: "Mi amor es irreprochable. Mi deseo de hacer la paz y buscar la reconciliación es tan perfecto, que siempre podré responder afirmativamente a la pregunta: **¿Has amado a Dios sobre todas las cosas y a tu prójimo como a ti mismo?**"

Si reparamos bien en esta pregunta, nos daremos cuenta de que no se trata de descubrir el pecado en cada momento, sino que, en todo caso, debemos empeñarnos por buscar siempre una ocasión para hacer el bien. En efecto, jamás deberíamos asumir que el Cristianismo pretende a toda costa descubrir el pecado del hombre para atemorizarlo; el Cristianismo no existe para juzgarlo sino para salvar al mundo entero. El Cristianismo es la luz que ilumina al hombre en tinieblas; el amor que lo rescata del odio; la paz que se ofrece a quien está atribulado; un todo que se da a una humanidad quebrantada y atormentada; la misericordia para las víctimas de la crueldad; el perdón que se concede a quien se ha endurecido a causa de su propia iniquidad.

Por consiguiente, así como la ciencia médica no es importante porque detecta la enfermedad sino porque es capaz de prescribir el remedio, así también la Confesión no tiene su razón de ser porque descubre el pecado sino por la influencia que ejerce sobre el penitente. El médico no es culpable por diagnosticar la enfermedad, más bien es digno de crédito por descubrir o administrar al individuo el medicamento apropiado.

Es posible que en la mente del enfermo quizá se presente la duda de que su padecimiento ha sido causado por el médico. Que él no está actuando con justicia porque no lo está ayudando a sanar de su mal. Algo así podría decirse también del Cristianismo, no para defenderlo sino para comprenderlo con mayor simplicidad.

Cuando el Cristianismo habla de pecado o cuando invita a la Confesión, no es solamente para revelar el

pecado, es porque desea ofrecer al hombre la salvación.

Al ofrecer la salvación por medio de este sacramento, el Cristianismo sencillamente aporta la luz para descubrir el pecado y para iluminar al hombre que se ha dejado destruir por él. El punto de partida del Cristianismo no es la enfermedad o el pecado, sino la salud y la santidad. Para cumplir su misión, **el Cristianismo no puede ser servido por el hombre pecador. Para manifestarse, le es absolutamente necesario ser servido por el hombre que es capaz de crecer en el amor y en todas las cosas positivas.**

En otras palabras, mi pregunta y la pregunta de muchos creyentes en cuanto a la Confesión tiene su razón de ser, si consideramos a este sacramento únicamente desde el punto de vista de la falta o la transgresión cometida. Pero la Confesión no puede reducirse a eso y tampoco la misión universal del Cristianismo. La Confesión tiene su fundamento como Sacramento de la Reconciliación. Porque, ¿cómo puede llegar a crecer el hombre, sino transformándose en imagen de la perfección anunciada y realizada en Jesucristo?

"¡Queridos hijos! Para esta fiesta (el 4o aniversario del inicio de las apariciones) quisiera deciros: abrid vuestros corazones al Señor de todos los corazones. Entregadme a Mí todos vuestros sentimientos y vuestros problemas. Yo quiero consolaros en vuestras pruebas; Yo deseo llenaros con la paz, el gozo y el amor de Dios.
¡Gracias por haber respondido a Mi llamado!"

20. 6. 1985

"¡Queridos hijos! Os invito a amar a vuestro prójimo y sobre todo a amar a quien os hace mal. Así, con el amor, seréis capaces de discernir las intenciones del corazón. Orad y amad, queridos hijos. Con el amor podréis hacer también aquello que os parece imposible.
¡Gracias por haber respondido a Mi llamado!"

7. 11. 1985

22

LA VERDADERA PREGUNTA

<<Ahora bien, vosotros los que decís: "Hoy o mañana iremos a tal ciudad, pasaremos ahí el año, negociaremos y ganaremos", vosotros que no sabéis qué será de vuestra vida el día de mañana... ¡Sois vapor que aparece un momento y después desaparece! En lugar de decir: "Si el Señor quiere viviremos y haremos esto o aquello." Pero ahora os jactáis en vuestra fanfarronería. Toda jactancia de este tipo es mala. Aquel, pues, que sabe hacer el bien y no lo hace, comete pecado.>>

(St 4, 13-17).

Entre sus experiencias espirituales, Santa Teresa de Avila registró este pensamiento: "Qué fácil resulta librar el combate entre el bien y el mal y decidirse a favor del bien; pero cuando nos debatimos interiormente entre el bien y lo que es un bien mejor, la situación es enteramente otra."

Si deseamos comprender a fondo este concepto y vivir la experiencia, la pregunta del cristiano no será: ¿Odio a Dios o alguno de los hombres? Porque el odio proviene del mal y destruye a cualquier persona, independientemente del hecho de que uno sea o no creyente. La pregunta del cristiano será: ¿Amo a Dios sobre todas las cosas y a mi prójimo como a mí mismo?

El Cristianismo, de acuerdo al deseo de Cristo, es la escuela del amor. Si hay que hablar del odio, que sea tan solo como la advertencia contra una enfermedad que debe ser evitada y de la que uno debe cuidarse.

La pregunta del cristiano no es: ¿He robado alguna cosa a otros; me he apropiado de lo que no me pertenece?

La pregunta del cristiano será: ¿He hecho buen uso de las cosas materiales a mi disposición? Esto significa que aun cuando yo afirme "no he robado", todavía no he

23

respondido por mucho a la pregunta cristiana, en cuanto a si he hecho el bien con las cosas materiales que poseo.

Y cuando alguien cree poder decir: "Esto es mío, esto me lo heredaron mis antepasados; de nadie más he obtenido mi riqueza, ¡la he ganado con mis propias manos!", ¡también esa persona debe admitir que todavía no ha comprendido, que a nivel cristiano el amor estimula y exhorta a hacer de las cosas un uso caritativo y dispuesto, atento y generoso!

La pregunta cristiana no es: ¿He blasfemado contra Dios, he dicho mentiras, calumnias, injurias?

La pregunta cristiana es: ¿Cómo me he servido del don de la palabra? Y aun cuando uno pudiera afirmar que no ha ofendido a nadie, todavía sentirá el aguijón del reclamo cristiano: ¿He sabido agradecer y glorificar a Dios? ¿He sabido dar consejo a los otros, una palabra de consuelo, tratar en modo justo y sereno a mis hijos, a mis padres etc.?

Todos hemos podido experimentar alguna vez en nuestra piel la verdad de esta pregunta y de esta reflexión; por ejemplo, cuando alguien pasa junto a nosotros y no nos dice nada ni nos saluda, nosotros igualmente nos sentiremos ofendidos o desilusionados y despreciados, ¡mientras que el otro continuará afirmando que no ha hecho ningún mal!

Finalmente, la verdadera pregunta no es si estamos destruyendo la propia vida y la de los demás, sino que consiste más bien en : ¿Qué he hecho o qué he dejado de hacer para que mi vida y la de los demás pueda crecer en el bien?

Cuando comenzamos a reflexionar de este modo, súbitamente comprenderemos por qué se habla de alcoholismo, de drogas, de los excesos en el comer y el beber y de los placeres desordenados en general. Resulta claro que comer y beber no es pecado, porque Dios mismo ha creado el hambre y la sed. Pero cuando el hombre se reduce a un estado, en el que no puede ya contentarse simplemente con satisfacer las necesidades del propio cuerpo y se deja llevar por las pasiones, comienza a aniquilarse. Anula sus posibilidades de crecer. Bloquea o impide lo positivo. Entra en una fase de autodestrucción.

Y precisamente porque surge una fase así de destrucción, es que el pecado asume un significado creciente, pero siempre en relación con los valores cristianos en cuanto a lo que es sano, bueno, transparente y generoso.

El cristiano se equivoca enormemente, cuando piensa que su misión como tal consiste únicamente en una lucha sin cuartel contra el pecado. Verlo así, lo llevará al estancamiento, a la fatiga, a la predisposición; se extraviará o en todo caso perderá para siempre el auténtico sentido de la misión cristiana. Y así, su vida no será diferente a la de aquellos que no conocen a Cristo.

Querer comprender el Cristianismo tan solo como la lucha contra el pecado, conduce a la misma condición de un jardinero que pasa todo el tiempo limpiando el huerto de yerbas y plantas nocivas, mientras que al mismo tiempo no se ocupa en plantar un noble árbol frutal. Ese jardinero seguramente se preguntará: "¿Por qué tengo que pasarme toda la vida desyerbando el huerto, si de todas formas nada cambia? Todos los días vuelven a salir las mismas yerbas malas que lo ahogan." Al final perderá el entusiasmo y su vida se convertirá en una carga para él. En cambio, si depositara una buena semilla en la tierra labrada que comenzara a germinar y a crecer, ¡no se fatigaría tanto en desyerbar el huerto y crearía mejores condiciones para un resultado más brillante y más digno!

El Cristianismo no se reduce entonces a una mera batalla contra el pecado, sino que es la batalla a favor de los valores positivos. Una lucha que dura toda la vida y que puede incluso demandar el sacrificio de la propia persona para estar en condiciones de darse a los demás. De ahí la belleza de la profesión de la fe cristiana, de los ejercicios de la piedad cristiana: la oración, el ayuno, la confesión, la invitación a realizar actos heróicos de amor.

Para ilustrar lo anterior, sería como si alguien me dijera: "Dios me ha dado las piernas para no caer." Yo no podría estar de acuerdo con ella, sino que trataría de mostrarle que las piernas sirven más bien para caminar y no sólo para no caer. Pero si esa persona se empeñara en mantener su convicción, de que las piernas sirven para no caer, su condición no podría ser otra que la del desaliento, la de permanecer sentada toda la vida. Porque si decidiera levantarse y caminar, efectivamente podría llegar a caer.

Es un problema muy grave el permanecer sentado y no querer moverse por el temor, de que si uno camina, quizá pudiera volverse a caer. Si lo transferimos al plano de nuestra misión cristiana, podríamos preguntarnos: ¿Quién se hace más daño, el que no se levanta por miedo a caer o aquel que se levanta y camina, con el riesgo de volverse a caer?

"¡Queridos hijos! Vosotros estáis ahora demasiado preocupados por las cosas materiales y por eso, corréis el peligro de perder todo lo que Dios quiere daros. Os invito, queridos hijos, a pedir los dones del Espíritu Santo que ahora os son necesarios para poder dar testimonio de Mi presencia aquí y de todo lo que Yo os doy. Queridos hijos, abandonáos totalmente a Mí para que Yo pueda guiaros en todo. No os preocupéis de las cosas materiales.
¡Gracias por haber respondido a Mi llamado!"
17. 4. 1986

"¡Queridos hijos! Hoy os invito a todos a vivir en vuestras vidas el amor a Dios y a vuestro prójimo. Sin amor, queridos hijos, vosotros no podéis hacer nada. Es por eso que Yo os invito, queridos hijos, a vivir el amor mutuo. Sólo así podréis amarme a Mí y a todos aquellos que vienen a vuestra parroquia: todos sentirán Mi amor

26

a través de vosotros. Por tanto os ruego, queridos hijos, a comenzar desde hoy a amar con un amor ardiente, con el amor con el que Yo os amo.

¡Gracias por haber respondido a Mi llamado!"
29. 5. 1986

AQUI ESTAN LOS TALENTOS

Jesús dijo muchas parábolas, con las que comentó los secretos de Su Reino. Una de esas parábolas es la de los talentos. Es así como la relata el Evangelio:

<<El Reino de los cielos es también como un hombre que, al ausentarse, llamó a sus siervos y les encomendó su hacienda; a uno dió cinco talentos, a otro dos y a otro uno, a cada cual según su capacidad; y se ausentó. En seguida, el que había recibido cinco talentos se puso a negociar con ellos y ganó otros cinco. Igualmente el que había recibido dos ganó otros dos. En cambio el que recibió uno se fue, cavó un hoyo en tierra y escondió el dinero de su señor. Al cabo de mucho tiempo, vuelve el señor de aquellos siervos y ajusta cuentas con ellos. Llegándose el que había recibido cinco talentos, presentó otros cinco, diciendo: "Señor, cinco talentos me entregaste; aquí tienes otros cinco que he ganado." Su señor le dijo: "¡Bien, siervo bueno y fiel!; en lo poco has sido fiel, al frente de lo mucho te pondré; entra en el gozo de tu señor." Llegándose también el de los dos talentos dijo: "Señor, dos talentos me entregaste; aquí tienes otros dos que he ganado." Su señor le dijo: "¡Bien, siervo bueno y fiel!; en lo poco has sido fiel, al frente de lo mucho te pondré; entra en el gozo de tu señor." Llegándose también el que había recibido un talento dijo: "Señor, sé que eres un hombre duro, que cosechas donde no sembraste y recoges donde no esparciste. Por eso me dió miedo, y fui y escondí en tierra tu talento. Mira, aquí tienes lo que es tuyo." Mas su señor le respondió: "Siervo malo y perezoso, sabías que yo cosecho donde no sembré y recojo donde no esparcí; debías pues, haber entregado mi dinero a los banqueros, y así al volver yo, habría cobrado lo mío con intereses. Quitadle, por tanto, su talento y dádselo al que tiene los diez talentos." Porque a todo el que tiene se le dará y le sobrará; pero al que no tiene, aun lo que tiene se le quitará. Y a ese siervo inútil, echadle a las tinieblas de fuera. Allí será el llanto y el rechinar de dientes.>>

(Mt 25, 14-30)

¿Qué sería lo más importante a observar en esta parábola?

¿Que el hombre con cinco talentos los pone a trabajar y obtiene cinco más? ¿Que el que recibe dos gana otros dos y una nueva hacienda?

El hombre que tenía un solo talento no lo arriesgó y no lo perdió. Por el contrario, lo conservó y lo restituyó a su patrón, tal y como lo había recibido.

Sin embargo, el patrón no se contenta con esto último; reprende al que no obtuvo ganancia y consigna el talento a otro de los siervos para que lo haga rendir más. Esta parábola suena un poco extraña y, podría decirse, incluso injusta. ¡Siempre sufre el que menos tiene y gana el que lo tiene todo!

Pero si nosotros contemplamos y explicamos esta parábola a la luz del tema de la Confesión, nos resultará fácil entender que no se trata de ninguna injusticia por parte del patrón sino de una nueva forma de comprender el compromiso del hombre.

Sólo aquel que trabaja, que sigue adelante, que no se deja desanimar por nada, aun en el caso de una pérdida: ¡ése hará cualquier cosa de bien! Será capaz de crecer y recibirá su recompensa. Quien pretenda conservar para sí mismo los dones, comete ya un gran pecado. Quien no crece, permanece encadenado. "¡El que está enfermo, debe cuidarse de no volver a caer!"

Con esta parábola podemos llegar a comprender, por qué la pereza se cuenta entre los pecados capitales. Aquí no se trata sólamente del hecho de que por dormir una hora más, uno llegue con retraso a la escuela o no concluya a tiempo las tareas que le han sido encomendadas. La pereza es una actitud que el hombre asume en su colaboración con Dios. Si yo colaboro, desarrollando los dones recibidos, seré dócil. Por el contrario, si yo no trato de hacer fructificar los dones, seré un holgazán. Si yo soy un holgazán, entonces no llegaré a crecer como un hombre maduro, creado a imagen y semejanza de Dios. Esta es la resistencia más grande que pueda oponerse a la voluntad de Dios. Dios es celoso de la semilla que ha sembrado en nuestros corazones. A El no le da lo mismo que nosotros nos comportemos de un modo que de otro. ¿Qué clase de Padre sería, si no le importara el modo en que crecen Sus hijos o cómo progresan? ¿Qué jardinero sería indiferente ante el hecho de que las flores que ha plantado crezcan sólo a la mitad, en lugar de hacerlo en toda la plenitud de su belleza? Seguramente se sentirá entristecido y defraudado por haber trabajado en vano. El hombre ha sido creado a manera de poder crecer. En la creación, Dios dijo que todas las cosas eran buenas. Dijo además: "¡Creced!" Esta es la ley divina. Es la exigencia interior de todo lo que ha sido creado, cuánto más del hombre. ¡Cada cosa posee en sí misma la ley del crecimiento! Y no existe ninguna semilla en el mundo que pueda resistirse a crecer, cuando las condiciones están dadas para que esto suceda. Sólo el hombre, haciendo pleno uso de su libertad, puede decir: "¡No creceré!" El puede decidir no crecer. O bien, dicho en otras palabras, puede darse a la pereza. Cuando se deja atraer por la pereza, el hombre se contrapone a la voluntad de Dios, que ha determinado en Su ley hacer crecer todo lo que ha sido creado.

"¡Queridos hijos! Vosotros sois responsables de los mensajes. Aquí se encuentra la fuente de la gracia y vosotros, queridos hijos, sois las vasijas a través de las que es transmitida esa gracia. Por lo tanto, queridos hijos, os invito a cumplir este servicio con responsabilidad. Cada uno responderá según la propia capacidad. Os invito a repartir con amor los dones a los demás y a no conservarlos para vosotros mismos.

¡Gracias por haber respondido a Mi llamado!"

8. 5. 1986

"¡Queridos hijos! Hoy os agradezco vuestra presencia

en este lugar, en el cual os ofrezco gracias especiales. Os invito a cada uno de vosotros a comenzar a vivir la vida que Dios desea de vosotros y a comenzar a hacer buenas obras de amor y de misericordia. No deseo que vosotros, queridos hijos, viváis los mensajes y al mismo tiempo sigáis pecando, porque esto no es de Mi agrado.

Por tanto, queridos hijos, deseo que cada uno de vosotros comencéis una vida nueva y no destruyáis todo aquello que Dios está obrando en vosotros y que El os da. Os doy Mi bendición especial y Me quedo con vosotros en el camino de la conversión.

¡Gracias por haber respondido a Mi llamado!"

25. 3. 1987

EL PECADO MAS GRANDE

Siempre me ha aterrado una pregunta: ¿Cuál es el pecado más grande? Lo he preguntado a otros. Lo he buscado en la Sagrada Escritura. Y, en diversas épocas, he encontrado diversas respuestas. ¡Ahora me parece, sin embargo, haber dado con la respuesta precisa! Todas las obras de las tinieblas no son sino la consecuencia de alguna otra cosa. Y la causa de esa otra cosa es siempre más grave y más peligrosa que el simple resultado. Nosotros no podemos eliminar el resultado, si no anulamos la causa. Concretamente, esto es lo que quiero decir: **todos los pecados posibles son resultado de la falta de amor. Y todos los problemas posibles se derivan de la falta de amor.**

Cuando no hay amor, todas las puertas se abren al mal y a cualquier pecado. Todas las guerras, todos los conflictos familiares e individuales, todas las miserias, las injusticias, los asesinatos, los abortos: todo es resultado directo de la falta de amor hacia la vida y hacia el Animador de la vida, ¡el Creador de todas las cosas! Esto significa, que **la falta de amor es el pecado más grande**. El odio no es tan peligroso como lo es la falta de amor, porque ésta puede hacer en cualquier momento que el odio triunfe sobre el amor. Pero si hay amor, las cosas nuevamente recuperan su sentido y pueden ser salvadas. Por el contrario, cuando el amor no llega a crecer plenamente, entonces no hay la esperanza de que las cosas mejoren, sino de que se abran aun más al pecado.

Hagamos un parangón para poder comprenderlo mejor: es más peligroso no tener luz, que no llegar a desarrollar un sistema de iluminación. Porque aunque se disponga de este último, si falta la luz -incluso un instante- habrá un momento de oscuridad que puede provocar que se pierda el camino.

Dios ha puesto en el corazón del hombre no sólamente la capacidad de amar, sino también un profundo deseo de ser amado y aceptado por los demás. ¡No es lo mismo ser amado que no serlo plenamente!

En el Bautismo nosotros recibimos la semilla del amor, de la fe y de la esperanza. Dios ha preparado la tierra para hacer brotar y desarrollar esa semilla. Sólo en virtud de ello, esto es, haciéndola germinar, seremos cada vez más imagen y semejanza del Padre. Si por el contrario, nosotros no actuamos así, entonces el amor, la fe, la esperanza serán tan solo un grano que permanece camuflageado y escondido y, aunque se conserve en perfecto estado, de cualquier forma no dará fruto, ¡no será ya una semilla!

Cuando esto sucede con el amor, podemos decir que el primer pecado ha comenzado, ¡origen y causa de todos los pecados, de todos los desastres, de todas las destrucciones! Si no nos empeñamos cotidianamente en hacer crecer el amor, entonces la muerte espiritual habrá llegado y con ella, ¡todos los males posibles!

Por tanto, para el hombre no puede existir algo más emocionante y más importante también, que el entregarse apasionadamente al propio crecimiento en el amor. Cuando, en virtud de este don, él hace cualquier cosa por Dios y por su prójimo, por sí mismo y por todas las creaturas, alcanza la madurez. Podrá mantenerse en alto, sobre sus propios pies, y será capaz de afrontar todos los obstáculos que el mundo le plantée. Pero cuando reduce su amor sólo a quienes a su vez se lo han demostrado y lo niega a aquellos que siente, que no le han correspondido, entonces en nada se distinguirá de los paganos que aman únicamente a los que los aman; que dan sólo aquellos, de quienes están seguros de recobrar lo donado.

Entusiasmarse por el amor y esforzarse en fortalecerlo quiere decir, ser capaces de cumplir la acción más bella del mundo y emprender la única lucha eficaz contra el exterminio y la destrucción, ¡contra el pecado en cualquiera de sus formas!

Imaginemos por un momento, que todas las guerras pudieran ser terminadas; que todas las hambres fueran saciadas; que todas las enfermedades fueran dignamente aceptadas y atendidas. Que todos los que son rechazados encontraran a alguien dispuesto a acogerlos; que todos los exiliados fueran respetados en su dignidad; que todas las personas tristes se llenaran de alegría; que todos los enfermos sanaran. Sólo el amor puede todo esto: si hasta ahora no hemos estado convencidos de ello y no tenemos el valor para soñarlo, ¡se trata simplemente de un signo, de que no tenemos la más remota idea del poder del amor! Es que no hemos comprendido que el amor habita en nuestros corazones, como lo dice San Pablo: <<... porque el amor de Dios ha sido derramado en nuestros corazones por el Espíritu Santo que nos ha sido dado!>> (Rm 5, 5). Sin el amor, todas las angustias interiores y las dificultades exteriores recaen en el hombre y lo aniquilan.

Por consiguiente, de manera absoluta el pecado es el peligro más grande, porque de cualquier naturaleza que éste sea, sofoca el amor.

EL AMOR AMADO

<<Aunque hablara las lenguas de los hombres y de los ángeles, si no tengo caridad soy como un bronce que resuena o címbalo que retiñe. Aunque tuviera el don de profecía, y conociera todos los misterios y toda la ciencia; aunque tuviera plenitud de fe como para trasladar montañas, si no tengo caridad, nada soy. Aunque repartiera todos mis bienes, y entregara mi cuerpo a las llamas, si no tengo caridad nada me aprovecha.

La caridad es paciente, es servicial; la caridad no es envidiosa, no es jactanciosa, no se engríe; es decorosa; no busca su interés; no se irrita; no toma cuenta del mal; no se alegra de la injusticia; se alegra con la verdad. Todo lo excusa. Todo lo espera. Todo lo soporta.

La caridad no acaba nunca. Desaparecerán las profecías. Cesarán las lenguas. Desaparecerá la ciencia. Porque parcial es nuestra ciencia y parcial nuestra profecía. Cuando venga lo perfecto, desaparecerá lo parcial. Cuando yo era niño hablaba como niño. Ahora vemos en un espejo, en enigma. Entonces veremos cara a cara. Ahora conozco de un modo parcial, pero entonces conoceré como soy conocido.

Ahora subsisten la fe, la esperanza y la caridad, estas tres. Pero la mayor de todas ellas es la caridad.>>

(1Cor 13, 1-13)

Sin que fuera necesaria premisa alguna por nuestra parte, el amor ha sido derramado en nuestros corazones...

El mundo está encadenado por el mal: conflictos, demostraciones de odio y otras cosas del mismo género. Y no hay ningún hombre ni sistema político alguno en el mundo que sean capaces de desbaratar el nudo cotidiano del desorden, el cual está constituído por la falta de amor. Nunca encontraremos a un hombre o sistema político que puedan hacerlo, porque sólo la espada de Dios está en

35

posibilidad de cortar ese nudo y sólo si es manejada por la mano de Dios y afilada con la potencia de Dios. Esto es verdaderamente el AMOR DE DIOS. El no desea que Su semilla, arrojada en nuestros corazones, se pierda y se destruya. Sin que fuera necesaria premisa alguna por nuestra parte, el amor ha sido derramado en nuestros corazones. No solamente para sanarnos, sino también para hacernos capaces de crecer. El amor de Dios no quiere obrar en el mundo, sin ser cultivado antes en el corazón de los hombres.

El amor de Dios es pleno y la condición absoluta para que nosotros crezcamos en el amor. En esto consiste la grande, inefable y universal posibilidad para el hombre y que en el Cristianismo está llamada además a realizarse completa y concretamente.

Es por eso, que podemos afirmar esto con justicia: el Cristianismo no busca al hombre para modelarlo a su manera, ni tampoco según un esquema arbitrario. Es el hombre quien busca al Cristianismo para alimentar con el amor divino el amor derramado en su corazón. Y cuando el hombre tome conciencia de que la semilla del amor ha sido arrojada en su corazón y que puede crecer en el jardín de su propia vida, entonces ya no se cansará de cultivarla y de hacerla crecer en el conocimiento y la práctica.

LA SANTA LLAMA

Me parece que este es el momento oportuno para leer juntos una historia. Considerémosla atentamente, tal y como está escrita. Creo que nos servirá para comprender mejor y con más provecho nuestra meditación.

"Sucedió que en la recién fundada República de Florencia había un hombre llamado Raniero d' Ranieri. Abandonado por su esposa que le tenía miedo, Raniero se fue con los cruzados a conquistar el Sepulcro de Cristo en Jerusalén. Raniero se distinguía por su prepotencia. Fue el primero en cabalgar con Goffredo di Buglione hasta los muros de Jerusalén, lo que le valió el honor de encender su antorcha con la llama que ardía a la entrada del Santo Sepulcro. Para muchos cruzados, la liberación de Tierra Santa era un pretexto para el saqueo. De acuerdo a las palabras de un bufón que se paseaba de una tienda de campaña a la otra para divertir a los caballeros, la mayoría de los cruzados habían sido asesinos y bandidos antes de abandonar su patria. Entreteniéndose en la tienda de Raniero, hábilmente y con gran soltura, el bufón fue envolviendo a Raniero hasta inducirlo a hacer un voto, con el que se comprometía a portar él solo la llama de regreso a Florencia. En medio de las carcajadas y la algarabía general de los caballeros ebrios, Raniero afirmó ufano que él lograría realizar esa misión imposible. Y su naturaleza salvaje e impetuosa lo convenció de que debía llevarla a cabo asemejándose a un peregrino.

Así pues, al alba, Raniero -ocultándose de los demás- tomó consigo la antorcha que había encendido en el Sepulcro de Cristo. Envuelto con el manto de peregrino, a fin de proteger la llama contra el viento, emprendió el largo viaje de regreso a Florencia en medio de la bruma matinal. De inmediato se percató de que la llama se apagaría si galopaba velozmente. Pero su caballo, entrenado para el combate, no estaba habituado a hacerlo despacio. Por tanto, Raniero decidió cabalgar montado al revés, a modo de salvaguardar la llama del peligro del viento con su propio pecho. Apenas estaba cruzando la estepa, cuando lo atacaron unos bandidos, gente malvada y perversa que seguía el rastro de los soldados. Naturalmente que Raniero hubiera podido deshacerse de ellos fácilmente, pero temía que en el contratiempo la llama pudiera extinguirse. Entonces les ofreció todo lo que traía consigo: sus ricos vestidos, el caballo y la armadura, a condición que le permitieran conservar su cargamento de candelas y lo dejaran en paz. Esto pareció convenir a los delincuentes que, por otra parte, tampoco estaban muy dispuestos a librar con él un conflicto. Lo despojaron de todo, a excepción de las candelas, el manto de peregrino y la antorcha encendida. En lugar de su noble caballo blanco le dieron un mísero jamelgo. Raniero comenzó a maravillarse de su propia actitud: "No me estoy comportando como un caballero, como un capitán de los gloriosos cruzados, sino más bien como un mendigo que hubiera perdido la razón. ¡Habría sido mejor renunciar! Porque, quién sabe cuántas cosas más habrán de ocurrirme a causa de esta llama."

Pero no desistió. Y en su camino encontró toda clase de angustias y humillaciones. Sus mismos compatriotas, peregrinos hacia Jerusalén, le gritaban en su propia lengua: "¡Loco!" Cuando más tarde fue atacado por aguerridos pastores, Raniero únicamente se preocupó por salvar la llama. Una vez durmió en un albergue donde solían parar las caravanas de peregrinos y mercaderes. El propietario, a pesar de que no había ya cupo, le hizo un lugar a Raniero y a su caballo. Raniero pensó: "Este hombre ha tenido piedad de mí. Si hubiera traído conmigo mi valioso equipo y a mi hermoso caballo blanco, seguramente habría tenido que enfrentar dificultades mayores al cruzar este país. Empiezo a creer que los bandidos me hicieron un favor." Esa noche, estaba muy fatigado cuando decidió poner la antorcha a su lado, reforzándola con unas piedras a fin de mantenerla en su sitio. Había resuelto pasar la noche en vela, al pendiente del fuego, pero tan pronto como se acomodó contra la pared, cayó dormido. A la mañana siguiente, lo primero que vino a su mente fue la llama. La candela no estaba donde él la había dejado. Casi, casi se alegró, porque de esa manera su viaje al fin había concluído, pero la verdad es que no lograba sentirse contento. Le parecía inútil regresar a su campamento de guerrero. En ese preciso momento apareció el dueño del albergue con la candela en la mano. Le dijo que la había tomado, porque comprendió que de alguna manera era importante que permaneciera encendida. Raniero resplandeció de felicidad. Tomó entonces la llama y montó su caballo. Sin embargo, se maravillaba cada vez más al reflexionar en lo que la llama representaba para él y la forma en que ésta parecía protegerlo. Al atravesar las montañas del Líbano, cuando amenazaba la lluvia, Raniero siempre se las arreglaba para encontrar un refugio en las grutas. Una vez casi murió congelado. Había escondido la candela en una tumba sarracena, porque no quería encender un fuego para calentarse, utilizando la llama. Y cuando estaba a punto de congelarse por el frío, cayó un relámpago que incendió un árbol cercano. Así pues, no tuvo necesidad de encender leña con la Santa Llama.

Al final ya no se sorpendía por nada. Cerca de Nicea encontró a unos caballeros que venían del Oriente, entre ellos estaba un trovador vagabundo. Estos, al ver a Raniero montado con la silla colocada al revés, el manto hecho girones, la barba crecida y la candela en la mano, comenzaron a gritarle al unísono: "¡Loco, loco!". Sólo el poeta guardó silencio. Se acercó cabalgando a Raniero y le preguntó, desde hacía cuánto tiempo viajaba de ese modo. "Desde Jerusalén, Señor", le respondió humildemente Raniero. "¿Y la llama no se ha apagado durante todo el viaje?" "Mi candela arde de la misma llama que yo encendí en la tumba de Cristo", replicó Raniero. El trovador dijo entonces: "También yo soy de los que serían capaces de portar tan solo una llama, porque siento que podría arder por siempre. Dime, tú que traes contigo esta llama desde Jerusalén, ¿qué debo hacer para no extinguirla?"

"Señor", le contestó Raniero, "esta empresa es gravosa, aunque parezca irrelevante. Porque esta llamita exige que uno se abstenga de pensar en cualquier otra cosa. No le permite a uno tener una amante, si uno ha decidido mantenerla encendida. Y también, por voluntad de esta llama, no se puede tampoco participar en una alegre francachela. No se puede tener nada en mente, sino la flama. Y ningún otro empeño llegará a ser más importante para usted. Más que el motivo por el cual conciba usted la idea de llevar a cabo una empresa así, sepa que en ningún momento tendrá la seguridad de que logrará portar la llama encendida hasta el final del viaje: en ningún momento deberá usted sentirse seguro, más bien estar siempre dispuesto a afrontar la eventualidad de que la llama pudiera serle robada." Así respondió Raniero. Pero Roberto, el poeta vagabundo, irguió su cabeza con orgullo y dijo: "¡Eso que tú has hecho por tu llama, yo también sabré hacerlo por la mía!"

Los siguientes sucesos tuvieron lugar ya en Italia. Raniero galopaba por un sendero solitario entre las colinas, cuando se cruzó con una mujer que le pidió que le permitiera tomar fuego de su candela: "Mi fogón se ha apagado", exclamó la mujer, "y mis hijos tienen hambre. Préstame el fuego para encender nuevamente el horno y cocer el pan." Estiró su mano para alcanzar la candela. Pero Raniero se hizo a un lado, porque se le había metido en la cabeza que la llama de su candela no encendería ningún otro fuego sino en el altar de la Santísima Virgen de la Catedral de Florencia. Entonces la mujer argumentó: "¡Dame el fuego, peregrino, porque la vida de mis hijos es una llama que me ha sido confiada para mantenerla encendida!" Gracias a estas palabras, Raniero le permitió encender la estopa de su lámpara. Unas horas después, en una aldea, un campesino echó encima de Raniero un manto, en signo de caridad. Pero el manto cayó sobre la candela y la apagó. En ese instante, Raniero recordó a la mujer a la que había permitido tomar fuego de la llama. Regresó donde ella y encendió su candela en el fogón de su casa.

Finalmente se encontró cabalgando a través de las azules colinas de Florencia. Pensó que pronto se libraría de la llama. A su mente acudieron los recuerdos de su botín de guerra y de sus camaradas de Jerusalén, quienes seguramente quedarían maravillados ante el éxito de su empresa. Pero se dió cuenta de que esos pensamientos ya no lo entusiasmaban, así como tampoco lo seguía atrayendo su vida llena de conquistas y aventuras. Pudo constatar que no era el mismo hombre que un día llegó cabalgando hasta la fortificación de la Ciudad Santa. Ahora sólo lo hacían feliz las cosas buenas y sencillas, aquellas que le traían la paz.

Para la Pascua, Raniero por fin llegó a caballo a Florencia. Sin embargo, justo antes de concluir su viaje, tuvo que enfrentar las peores calamidades. Habiendo apenas cruzado la puerta de la ciudad, un grupo de chiquillos y de granujas que estaban apostados ahí se le fueron encima, haciendo un gran escándalo lo rodearon y trataron de arrebatarle la candela. Raniero se esforzaba por mantener en alto su luz, a fin de salvaguardarla de aquella gente malvada que lo tiraba de los cabellos y que se avalanzaba sobre la candela. Era una escena absolutamente grotesca y mezquina. El pobre caballero parecía realmente un loco. Las personas alrededor se divertían sin piedad. Rostros ansiosos por disfrutar de aquel espectáculo se agolpaban en las ventanas. Raniero parecía un animal acorralado. Se estiraba lo más que podía para salvar su llama. En eso, una mujer que se encontraba en el balcón de la casa ante la cual se desarrollaba la escena, tomó la candela con ambas manos y desapareció inmediatamente en el interior del inmueble. Todos comenzaron a reirse y a exultar. Pero Raniero, temblando, se dejó caer en el suelo. Después de un rato, la calle quedó desierta. De pronto apareció Francesca, la mujer de Raniero, con la candela en la mano. Había sido ella quien la tomó desde el balcón, con la intención de salvarla. Cuando acercó la luz de la candela al rostro de Raniero, éste se incorporó y abrió los ojos. Francesca le entregó la llama, pero él no reconoció a su mujer porque no la miró. Tan solo miraba la llama. Quería llevarla a la catedral. Francesca lo ayudó a ponerse de pie. Lo había reconocido de inmediato. Pensaba que efectivamente se había vuelto loco, porque no apartaba sus ojos de la llama. Raniero reaccionó cuando escuchó que la mujer que lo acompañaba comenzó a llorar. Se volvió a mirarla y se dió cuenta de que quien lo conducía a la catedral y quien había salvado la llama era en realidad una sola persona: su propia esposa. La contempló un instante, pero no dijo nada. Con la llama en la mano entró a la iglesia. En ese momento fue anunciado al pueblo que el caballero Raniero d'Ranieri había regresado a Florencia con la llama que había encendido en el Sepulcro de Cristo. De la desolación y la tristeza más profundas, Francesca se encontró de pronto ante un milagro y en el colmo de la felicidad. Hubo ciertamente voces polémicas que se levantaron en ese momento, sobre todo de aquellas personas a quienes Raniero había lastimado en el pasado con su brutalidad. Reclamaban una prueba de que Raniero efectivamente había cumplido su misión. Pero él nunca pensó en que eso sería necesario. "¿A quién puedo presentar como testigo?", dijo, "ningún escudero quiso seguirme. ¡El desierto y las montañas son mis únicos testigos!"

La iglesia se llenó de confusión. Raniero temía que ahora, a poca distancia del altar, la llama se extinguiera. En ese momento, chocó contra la llama un pajarillo que entró volando a través de las puertas abiertas de la iglesia. La llama se apagó. Raniero dejó caer sus manos abatido y sus ojos se llenaron de lágrimas. Pero en la iglesia se escuchó el clamor de la gente: las alas del *pajarillo se habían incendiado al tocar la Santa Llama. El animalito se puso a volar desesperadamente en círculos, antes de caer muerto sobre el altar. Todavía no se apagaba el fuego de una de sus pequeñas alas, cuando Raniero alcanzó a encender su candela en la llama que estaba por extinguirse. Esa fue la prueba que convenció a todos.*

A partir de ese día, Raniero se convirtió en el protector de las viudas, los huérfanos y los desamparados, conociendo la paz y la felicidad junto a su esposa Francesca. Y sus conciudadanos lo amaban y lo respetaban. En recuerdo a la empresa de Raniero, a toda su familia le pusieron el sobrenombre de "Locura de Raniero" y ése fue el apodo que recibieron todos sus descendientes."

(V. KRMPOTIC, 114-118,
tomado del libro de Vesna Krmpotic
"La Camisa del Hombre Felíz")

Esta historia es muy clara: el caballero se entusiasmó con la Flama que ardía a la entrada del Santo Sepulcro. Nada le pareció difícil para conservar la llama y llevarla a su patria. Sintió que no habría ningún obstáculo que él no pudiera afrontar y superar. **Pero todas las veces que no pudo o no supo cómo actuar, las cosas se fueron resolviendo por sí mismas, sin él pero por él, porque tenía una buena y noble intención.** No le fue difícil abandonar sus vestidos de caballero ni tampoco su armadura de guerra. Todo eso, a fin de conducir de manera segura y con más tranquilidad la llama del amor. Después de haber renunciado a todo, desaparecieron los enemigos externos, la amenaza que constituían los bienes materiales. Entonces surgieron los enemigos internos: el viejo orgullo, la humillación que le causaban sus antiguos adversarios que no creían en la veracidad de sus afirmaciones o los que lo llamaban loco. Pero al final, todas las cosas cambiaron y fueron renovadas.

Para nosotros, el aplicar el valor de esta historia como

cristianos significaría, entusiasmarnos por crecer en el amor, en la paz, en la justicia y en la caridad; estar decididos a realizar cualquier sacrificio para lograrlo. Cuántas veces son las pequeñas cosas las que nos alejan a unos de otros. Y justamente entonces es cuando debemos estar dispuestos a sacrificarlo todo, para crecer en el amor, en la paz, en la justicia y en la caridad; estar decididos a realizar cualquier sacrificio para lograrlo. Cuántas veces el viejo orgullo sofoca la llama del amor, mientras que a nosotros todo nos parece normal: ¡ése es el **verdadero pecado!**

TRABAJAR EN EL CORAZON

Cuando escuchamos la invitación de Nuestra Madre, a trabajar en nuestros corazones de la misma manera en que se trabajan los campos, ahora nos resulta fácil comprender lo que Ella quiere y cómo quiere que sea nuestro trabajo. Todo aquel que ha laborado en los campos sabe una cosa por experiencia: es inútil esparcir una semilla, incluso la semilla divina, si la tierra no es preparada adecuadamente. Es inútil afanarse tanto, si no se exterminan primero las yerbas nocivas de raíz. De otra manera, éstas continuarán creciendo y sofocarán también a la mejor de las semillas. Si una persona se descuida y cultiva su viña o su campo sólo ocasionalmente, jamás logrará obtener una buena cosecha.

¡Es propio de la naturaleza del hombre el volverse incansable, cuando hace suya y se apasiona por una idea! En un caso así, perseverará sin fatiga en su trabajo y en su empeño, a menos que no encuentre ya un sentido a su búsqueda. El problema no consiste en ver si el hombre posée la fuerza para cumplir cualquier cosa, sino en encontrar un estímulo para reclamar y poner en movimiento dicha fuerza. Por otra parte, está comprobado que todo hombre, en el fondo de su corazón, busca incesantemente la realización del amor en su propia vida. Y seguirá buscándolo, aun cuando todo obre en contra de ese amor y lo desilusione y lo sumerja en medio del odio y del mal en general.

Es también una realidad que el hombre nunca llega al estado extremo en el que todo le parezca inútil y no sea ya capaz de distinguir entre el odio y el amor, la aceptación y el rechazo, el calor y el frío, el gozo y la tristeza, el respeto y el desprecio. En otras palabras, el Cristianismo puede hacerse presente en cualquier hombre, en cualquier época u ocasión, porque el hombre, en lo más íntimo de su corazón, siempre está abierto y anhela gozar de los frutos del amor y la paz.

Por eso, cada corazón humano es un campo fértil para la obra cristiana, que en sí misma implica la limpieza, la poda y la siembra de una nueva semilla: la semilla divina.

Cuando no conocemos el arte de la viticultura, quedamos maravillados al observar cómo se podan las viñas, pudiendo incluso llegar a pensar que se trata de una técnica un tanto cruel y violenta, la de mutilar los sarmientos. ¡Pero todos sabemos lo que podría ocurrir si las viñas no fueran podadas! Los frutos no serían los mismos.

Las leyes del crecimiento humano y de la penetración de los valores cristianos se asemejan notablemente a las leyes que gobiernan el crecimiento y los procesos de maduración que observamos en la naturaleza.

Purificándose, el hombre despierta sus potencias, casi como si las generase de nuevo y al liberarlas, promueve el crecimiento y el desarrollo de sí mismo. Si, por el contrario, el hombre no se somete a un proceso de purificación, de renovación, caerá nada menos que en un estado de degradación y alienación. Y con el individuo se verá afectada también la familia entera y aun el pueblo al que pertenece.

Los esfuerzos realizados en el dominio espiritual, esto es en el corazón, están profundamente ligados con el sentido de la vida. Cuanto más trabaje el hombre en esta obra, tanto más logrará vivir felíz, reconciliado, sereno. Le resultará más fácil empeñar todas sus fuerzas en construir día a día el edificio espiritual. Es así como se realiza el sentido de la existencia humana. Pero, cuando el hombre se descuida, no logra encontrar un sentido a su vida, a su trabajo. Cualquier acción, cualquier gesto le parecerán absurdos. Y cuanto más absurdas le parezcan sus acciones, tanto más herido se sentirá en su interior. Y las heridas espirituales apartan al hombre de sí mismo y de los demás.

Verdaderamente puede decirse: ¡o trabajar en el corazón, o no trabajar y morir!

"*¡Queridos hijos! Cada cosa tiene su tiempo. Hoy os invito a comenzar a trabajar en vuestros corazones. Todos los trabajos en los campos han terminado. Vosotros encontráis tiempo para limpiar hasta los rincones menos importantes de vuestras casas, pero hacéis a un lado vuestro corazón. Trabajad más y, con amor, limpiad cada rinconcito de vuestro corazón.*
¡Gracias por haber respondido a Mi llamado!"
17. 10. 1985

"*¡Queridos hijos! Hoy os quiero invitar a comenzar a trabajar en vuestros corazones así como trabajáis en vuestros campos. Trabajad y transformad vuestros corazones para que el Espíritu de Dios pueda entrar en vuestros corazones.*
¡Gracias por haber respondido a Mi llamado!"
24. 4. 1985

¿QUIEN ESTABLECE EL CRITERIO?

<<...Mas Jesús se fue al monte de los Olivos. Pero de madrugada se presentó otra vez en el Templo, y todo el pueblo acudía a él. Entonces se sentó y se puso a enseñarles. Los escribas y fariseos le llevan una mujer sorprendida en adulterio, la ponen en medio y le dicen: "Maestro, esta mujer ha sido sorprendida en flagrante adulterio. Moisés nos mandó en la Ley apedrear a estas mujeres. ¿Tú qué dices?" Esto lo decían para tener de qué acusarle. Pero, como ellos insitían en preguntarle, se incorporó y les dijo: "Aquel de vosotros que esté sin pecado, que le arroje la primera piedra." E inclinándose de nuevo, escribía en la tierra. Ellos, al oir estas palabras, se iban retirando uno tras otro, comenzando por los más viejos: y se quedó solo Jesús con la mujer, que seguía en medio. Incorporándose Jesús le dijo: "Mujer, ¿dónde están? ¿Nadie te ha condenado?" Ella respondió: "Nadie, Señor." Jesús le dijo: "Tampoco yo te condeno. Vete, y en adelante no peques más.">>

(Jn 8, 1-11)

Concretamente, aquí se nos plantea la siguiente pregunta: ¿De qué manera se puede llegar a conocer el significado de la vida? Y, ¿en qué consiste la plenitud de la vida? ¿En qué dirección debe crecer el hombre? ¿En la que le señalan sus padres, la Iglesia, el pueblo, la familia, las comunidades religiosas? ¿Quién es el que puede definir qué criterios han de seguirse para que el hombre alcance su madurez?

No se trata, sin duda, de cuestiones poco importantes. Tan solo la última basta para hacer surgir toda clase de conflictos: divorcios, homicidios, persecusiones, ausencia de libertad. ¿O no es cierto que todo esto sucede, cuando el hombre o la familia, el padre o la madre, la comunidad tratan de imponer a cualquiera sus propios límites, establecer reglas y modelos de vida? ¿Y entonces? Todas las rebeldías juveniles tienen su origen y pueden comprenderse únicamente en base a esta pregunta: "¿Quiénes son los demás para imponerme las reglas o directrices a las que he de sujetar mi vida?" En principio, podríamos responder: Ningún hombre puede adjudicarse el derecho de fijar ni las reglas ni el camino a seguir por otro hombre. Esto no pueden hacerlo ni la familia ni el pueblo o la nación en que vive, tampoco el sistema de gobierno que lo rige.

Todo ser humano posée en sí mismo los principios básicos que deben dirigirlo. Los demás componentes deben tan solo servir como un sostén para realizar tales principios. Digámoslo de otra manera, los padres y madres de familia no existen para formar a los hijos para sus propios fines, sino para formarlos como personas autónomas. Los sistemas de gobierno no existen para instruir a los hombres según sus propias directrices sino para ayudarlos a realizar y desarrollar los dones de que ya disponen: el espíritu de libertad, de justicia, de caridad. Cuando ocurre que los individuos, los sistemas de gobierno, las familias, la comunidad tratan de educar a la gente para sí mismos y para sus propios fines, el hombre se convierte en un medio, la persona vivirá un equívoco y sufrirá una involución en vez de una evolución. Y si el individuo se desarrolla erróneamente, todo lo demás presentará igualmente un crecimiento distorsionado. Cualquier gobierno o institución, incluso la familia, tiene su razón de ser únicamente en cuanto a que contribuye a la madurez del hombre como tal.

Una vez que el hombre crece y alcanza la madurez, sabrá asumir su propia responsabilidad y observar y respetar sus propios derechos y los de los demás. Esto último, siempre y cuando, en su lucha por conquistar una posición dentro de la comunidad o la familia, no se torne egoísta, utilizando los medios y a las personas según su capricho, lo que lo llevará a perderse de nuevo tal y como le sucederá si crece bajo la imposición de otra persona.

En todo caso, el hombre no ha sido creado para él determinar un criterio arbitrario y una línea de conducta para sí mismo ni para los demás; así como tampoco los demás pueden hacer ninguna cosa fundada en una arbitrariedad. En sí misma y por sí misma la vida así como el profundo anhelo del hombre de crecer en el amor, son los fundamentos sobre los que todo debe ser basado y bajo los que todo debe ser sometido. Es a partir de esta circunstancia que nace la auténtica y correcta relación entre el individuo y la comunidad, una relación justa que, sin lugar a dudas, es fruto de la madurez.

<<Cuando el Hijo del hombre venga en su gloria acompañado de todos sus ángeles, entonces se sentará en su trono de gloria. Serán congregados delante de él todas las naciones y él separará a los unos de los otros, como el pastor separa a las ovejas de los cabritos. Pondrá las ovejas a su derecha y a los cabritos a su izquierda. Entonces dirá el Rey a los de su derecha: "Venid, benditos de mi Padre; recibid la herencia del Reino preparado para vosotros desde la creación del mundo. Porque tuve hambre y me dísteis de comer; tuve sed y me dísteis de beber; era forastero, y me acogísteis; estaba desnudo y me vestísteis; enfermo, y me visitásteis; en la cárcel, y vinísteis a verme." Entonces los justos le responderán: "Señor, ¿cuándo te vimos hambriento, y te dimos de comer; o sediento, y te dimos de beber? ¿Cuándo te vimos forastero, y te acogimos; o desnudo, y te vestimos? ¿Cuándo te vimos enfermo o en la cárcel, y fuimos a verte?" Y el Rey les dirá: "En verdad os digo que cuanto hicísteis a uno de estos hermanos míos más pequeños, a mi me lo hicísteis." Entonces dirá a los de su izquierda: "Apartaos de mí, malditos, al fuego eterno preparado para el diablo y sus ángeles. Porque tuve hambre, y no me dísteis de comer; tuve sed, y no me dísteis de beber; era forastero, y no me acogísteis; estaba desnudo, y no me vestísteis; enfermo y en la carcel, y no me visitásteis." Entonces dirán también éstos: "Señor, ¿cuándo te vimos hambriento o sediento o forastero o desnudo o enfermo o en la carcel, y no te asistimos?" Y él entonces les responderá: "En verdad os digo que cuanto dejásteis de hacer con uno de estos más pequeños, también

conmito dejásteis de hacerlo." E irán éstos a un castigo eterno, y los justos a una vida eterna.>>

(Mt 25, 31-46)

El amor, esa profunda realidad y aun más profunda exigencia de todos los hombres constituye el criterio más importante en la enseñanza de Jesús. Para El, la primera pregunta y la última serán siempre: ¿Has amado? En consecuencia, éste es el fundamento de todo: servir en el amor recíproco y estar dispuestos a morir para que los otros puedan vivir. Y morir por amor no quiere decir desaparecer ni destruirse, sino ser capaces de vivir en el amor en cualquier circunstancia.

El hombre ha sido creado a imagen y semejanza de Dios y Dios es amor. Esa es la única y verdadera imagen del hombre y su único ideal es el amor. Transformarse en imagen de Dios en el amor. Y mientras más ama el hombre y más se asemeja a Dios, más se acerca a los otros hombres y a todas las creaturas. Ahora nos resulta claro, que el hombre no ha sido creado a imagen y semejanza de su familia o de la sociedad ni tampoco a imagen y semejanza de la Iglesia, sino que todo concurre para que el hombre pueda llegar a asemejarse a su Creador en el amor.

Para comprender en qué consisten las buenas familias, los buenos educadores, la buena Iglesia, tenemos que tener bien en mente cuál es el papel que todos ellos desempeñan. En la medida en que cualquier persona o cualquier cosa ayuden al hombre, al individuo, a lograr su semejanza con Dios y a crecer tendiendo siempre a ese modelo ideal, siendo felíz él mismo y haciendo felices a quienes lo rodean, esa persona cualquiera o esa cosa cualquiera serán buenas.

La respuesta a nuestra pregunta, en cuanto a cuál es el criterio que define el pecado como tal y quién lo establece, la encontramos en una expresión muy simple. Nadie puede establecer por sí mismo un criterio para discernir el pecado y nadie puede inventarlo por propia inspiración. Nosotros únicamente podemos señalar al pecado como el peligro que envenena y destruye la semilla del amor en el corazón del hombre y que por eso debe ser combatido.

Lo mismo puede decirse de los medios que nos ayudan a crecer en el amor. No se trata de algo que haya sido inventado por la Iglesia o cualquier otra institución formativa, sino que constituyen un punto de apoyo sin el cual, el hombre no sabría cómo elegir los medios más útiles y apropiados para el crecimiento de la propia alma.

La invitación cristiana a la oración, al ayuno, a la confesión, a la participación de la Misa, a la lectura y a la meditación de la Palabra de Dios representan simplemente un ofrecimiento para ayudar al hombre a encontrar el camino y los medios para realizar el fin último de su vida. Y esta ayuda será aceptada también por los no creyentes, sólamente cuando los mismos cristianos estén plenamente convencidos de cuán importantes resultan para el crecimiento espiritual de cualquiera.

LA CONFESION - ¿POR QUE?

<<Y dijo: "Un hombre tenía dos hijos; y el menor de ellos dijo al padre: 'Padre, dame la parte de la hacienda que me corresponde.' Y les repartió la hacienda. Pocos días después el hijo menor lo reunió todo y se marchó a un país lejano donde malgastó su hacienda viviendo como un libertino.

Cuando hubo gastado todo, sobrevino un hambre extrema en aquel país, y comenzó a pasar necesidad. Entonces, fue y se ajustó con uno de los ciudadanos de aquel país, que le envió a sus fincas a apacentar puercos.

Y deseaba llenar su vientre con las algarrobas que comían los puercos, pero nadie se las daba. Y entrando en sí mismo dijo: '¡Cuántos jornaleros de mi padre tienen pan en abundancia, mientras que yo aquí me muero de hambre! Me levantaré, iré a mi padre y le diré: Padre, pequé contra el cielo y ante ti. Ya no merezco ser hijo tuyo, trátame como a uno de tus jornaleros.' Y, levantándose, partió hacia su padre.

Estando él todavía lejos le vió su padre y conmovido, corrió, se echó a su cuello y le besó efusivamente. El hijo le dijo: 'Padre, pequé contra el cielo y ante ti: ya no merezco ser llamado hijo tuyo.' Pero el padre dijo a sus siervos: 'Traed aprisa el mejor vestido y vestidle, ponedle un anillo en su mano y dadle unas sandalias en los pies.

Traed el novillo cebado, matadlo y comamos y celebremos una fiesta, porque este hijo mío estaba muerto y ha vuelto a la vida; estaba perdido y ha sido hallado.' Y comenzaron la fiesta...">>

(Lc 15, 11-24)

Para muchos, la Confesión no es sino un momento agobiante, en el que hay que revelar a otro los propios pecados, transgresiones y defectos, para posteriormente escuchar palabras de reprobación, prohibición y amenaza y al final recibir la penitencia. Muchas veces se trata además de una penitencia seleccionada, cuando nosotros buscamos confesarnos con un sacerdote a quien no conocemos y si lo conocemos, cuando nos contentamos con mencionar tan solo lo esencial, omitiendo, por temor, lo más importante para evitarnos así el "hablar claro".

En estos tiempos, muchos sacerdotes y creyentes consideran que la Confesión está en crisis. Por otro lado, hay tantos que andan en busca de otras personas con las cuales poder conversar de sus problemas, de sus situaciones espirituales, de sus pecados y de las heridas recibidas a causa de otros: muchos individuos y familias enteras también acuden a psicoterapeutas y psicoanalistas, esperando encontrar en ellos una ayuda para superar sus crisis espirituales. Y cuando dan con un buen consejero o terapeuta, delante de él abren su alma y su corazón y de esa forma, el hombre recibe del hombre el auxilio deseado, a fin de superar su problemas.

La experiencia social confirma el hecho, de que el hombre siempre busca a otra persona y un momento especial en privado, para dar alivio a su corazón y a su alma. Y cuando existen desórdenes en la vida, mayores y más dolorosas son entonces las heridas y las penas y aun mayor es la necesidad de contar con otra persona que nos escuche. Porque tan solo el hecho de ser escuchado procura al hombre la calma, el consuelo y un alivio.

En la Confesión cristiana, nosotros encontramos ese momento grande e importante de privacidad y confianza. El hombre-sacerdote está al servicio de otro hombre y, asegurándole una discreción absoluta, está dispuesto a escuchar sus problemas y sus pecados. Pero la Confesión, por voluntad del Señor Jesús, supera propiamente al encuentro humano como tal, llevando al hombre hasta el encuentro con Dios, con el Padre bueno que, después de haber esperado tanto, ahora -lleno de gozo- corre al abrazo del hijo, le regala un vestido nuevo e invita a todos al banquete de la Eucaristía, en el que se celebra la inmensidad de la Divina Misericordia.

Por eso, la Confesión es un encuentro entre lo humano y lo divino, a través de un instrumento humano como lo es la conversación y la confianza recíproca.

EL CONFESOR

<<Así que, en adelante, ya no conocemos a nadie según la carne. Y si conocimos a Cristo según la carne, ya no le conocemos así. Por tanto, el que está en Cristo es una nueva creación; pasó lo viejo, todo es nuevo. Y todo proviene de Dios, que nos reconcilió consigo por Cristo y nos confió el ministerio de la reconciliación. Porque en Cristo estaba Dios reconciliando al mundo consigo, no tomando en cuenta las transgresiones de los hombres, sino poniendo en nosotros la palabra de la reconciliación. Somos, pues, embajadores de Cristo, como si Dios exhortara por medio de nosotros. En nombre de Cristo os suplicamos: ¡reconciliáos con Dios! A quien no conoció pecado, le hizo pecado por nosotros, para que viniésemos a ser justicia de Dios en él.>>

(2 Cor 5, 16-21)

Es muy importante subrayar el rol del sacerdote en la Confesión, porque son los elementos humanos los que preparan el terreno para la obra divina.

Fácilmente podríamos compararlo con el papel que juega el médico en la curación de un enfermo. El médico debe conocer bien la enfermedad y las causas de la misma, pero al mismo tiempo debe conocer los medicamentos y el proceso a seguir para alcanzar la curación. Lo mismo ocurre con el sacerdote. Este debe ser un hombre de una fe profunda, con un amor y una esperanza vivas, pero debe tener también experiencia en relación a la vida espiritual y ser un atento conocedor de los principios que rigen su crecimiento. Deberá además saber escuchar y comprender lo que está sucediendo en el alma del penitente. Sólamente así, el confesor podrá plasmarlo todo en el plano humano, a modo de preparar el terreno para el acceso de lo divino.

Durante la Confesión, el sacerdote indica aquello que está bien, pone en guardia contra los peligros y arroja la semilla divina en el alma del penitente.

Al sacerdote se le conoce también como "médico de almas". Y es que sus acciones están encaminadas a obtener su curación. El prepara al alma y en el nombre de Dios perdona los pecados y resana las heridas. En el ámbito de la sabiduría humana y del conocimiento del alma y del corazón del hombre en general, el sacerdote necesitará igualmente, en cuanto le sea posible, conocer a la persona que se confiesa con él. Esta deberá darse a conocer. Decir cuál es su ocupación o trabajo, sus condiciones materiales, sociales, morales y, en su caso, su origen étnico. Es importante que el penitente cuente brevemente la historia de su crecimiento espiritual. De este modo, con toda simplicidad proporcionará la información que permitirá al sacerdote aconsejarlo y sugerirle pasos concretos para superar sus errores y evitar cualquier peligro. Es por eso que se recomienda que -de ser factible- el creyente acuda siempre al mismo confesor y sólo eventualmente a otro sacerdote. Y es que esto es muy importante para fortalecer su progreso en la vida espiritual.

Sólo aquel que no desea crecer en la profundidad de la vida espiritual, cambiará de confesor frecuentemente, tratando de presentar ante cada nuevo sacerdote la mejor de las imágenes. Esto ocurre porque tiene miedo de enfrentar las preguntas relacionadas con los progresos espirituales que ha logrado a partir de su última confesión.

En suma, la Confesión debe ser un encuentro amigable entre el hombre que busca la gracia de la reconciliación y que desea sanar interiormente de las heridas de los pecados confesados y el hombre que, en el nombre de Dios, lo escucha y le dice: "¡No temas! Tus pecados te han sido perdonados. ¡Vete en paz y no peques más!"

Durante este encuentro, el confesor y el penitente verdaderamente celebran la Misericordia de Dios, el amor de Dios y Su perdón. En efecto, en sí misma la Confesión es una celebración de la gloria de Dios y un reencuentro con la alegría.

DESEO INVITAROS A TODOS A LA CONFESION

En la víspera de la fiesta de la Anunciación de María, el 24 de marzo de 1985, la Virgen, por medio de Marija Pavlovic, dió este mensaje:

"¡Queridos hijos! Hoy deseo invitaros a todos a la Confesión, aun cuando os hayáis confesado hace pocos días. Deseo que viváis Mi fiesta en vuestros corazones. Pero no podréis hacerlo a menos que os entreguéis completamente a Dios. Por tanto, os invito a todos a reconciliaros con Dios!"

Este es uno de los mensajes, en los que la Santísima Virgen repite Su invitación a la Confesión. A la luz de la festividad de la Anunciación se vuelve más vivo y más claro el sentido de la Confesión.

María es la nueva Eva. Ella ha dicho: **"He aquí la esclava del Señor; hágase en mí según tu palabra." (Lc 1, 38)**

Y con este pronunciamiento de María, la esclava del Señor, se inicia el Nuevo Testamento. La primera mujer, Eva, no realizó en su vida el pryecto de Dios. Cometió el pecado original y a causa de ello el hombre se apartó de Dios y de lo que El deseaba para Su criatura. Con el pecado, el hombre deció hacer su propia voluntad y no la de Dios. María restaura esa situación negativa provocada por la indisciplina de nuestros primeros padres. Esto es posible, porque Cristo -nuevo Adán- acepta la Voluntad del Padre y viene al mundo para salvarlo, realizando Su entrada al mundo por medio de María, la nueva esclava devota y obediente.

Ahora bien, el profundo sentido de la festividad de la Anunciación no reside únicamente en el hecho de que en aquel día Cristo, el Verbo de Dios, Se hizo hombre por nosotros, encarnándose en el seno purísimo de la Virgen

María, sino en que María, con su aceptación a la Voluntad de Dios, ha dado principio a la nueva historia de la salvación.

Es precisamente en el suceso y en la verdad de la Encarnación, determinada por la aceptación de María a la Voluntad de Dios, donde nosotros descubrimos el profundo significado del Sacramento de la Reconciliación. Ciertamente, no es una casualidad que María nos haya invitado a la Confesión en ocasión de Su fiesta. Se trata más bien de una respuesta a la pregunta: ¿Qué es la Confesión? La Confesión es la aceptación de la Voluntad de Dios y el rechazo al mundo que nos esclaviza y nos humilla, ¡la adhesión a la fuente de salvación y de luz, de paz y de amor y es el rechazo a las tinieblas del odio y el desorden! Todo esto con una plena conciencia de nuestros actos.

María dice: "… no podréis vivir Mi fiesta si no os confesáis", o dicho de otra manera: "No podréis comenzar la vida nueva si no decís a Dios: ¡Aquí estoy, Señor, dispuesto a hacerlo todo según Tu voluntad!" Para mí, la Voluntad de Dios es primero que nada, buscar el perdón por todo lo que hemos hecho en contra de Su voluntad, por haber preferido nuestra voz a la de Dios; por haber estado más cerca de la vieja Eva que de María, la nueva Eva.

Así pues, la Confesión es el momento del retorno y de la renovada aceptación del Paraíso terrestre, el inicio de la construcción de un mundo nuevo. Es el momento en el que permitimos a Dios que una vez más dirija nuestra vida y ocupe en ella el primer lugar. Es también el momento, en el que nuestro hombre viejo y aniquilado se renueva en la plenitud de la humanidad de Cristo.

Si nosotros acudimos más a menudo y con una mayor conciencia al rito de la Confesión, nos acercaremos cada vez más a la fiesta que María, Madre de todos los vivientes, la Nueva Eva, anuncia en Su mensaje. Esta es la fiesta de la glorificación de la vida, de la paz, del gozo, del amor y de la comunión de Dios con los hombres y de los hombres entre sí.

Al acercarnos más y más a esa meta, a la que María quiere conducirnos, nos iremos alejando al mismo tiempo de las potencias destructoras del pecado, volviéndonos cada vez más resistentes a las tentaciones, a los temores y a la angustia.

Y verdaderamente en eso consiste el proceso vital de la entrada a la gloria del Hijo de Dios. Por eso, no es de extrañarse que muchos sacerdotes y peregrinos hayan afirmado que justamente después de haberse confesado en Medjugorje, fue que descubrieron la belleza y la profundidad del llamado a la conversión; el retorno a la amistad que Dios desea con todos los hombres.

La misión de la reconciliación confiada a los sacerdotes adquiere así una mayor claridad y tiene un valor más grande a los ojos de los propios sacerdotes y de los fieles también. Con toda seguridad, no puede existir una misión más bella para el hombre que la de la reconciliación.

DE LA PENITENCIA

<<Por tanto, también nosotros teniendo en torno nuestro tan gran nube de testigos, sacudamos todo lastre y el pecado que nos asedia, y corramos con fuerza a la prueba que se nos propone, fijos los ojos en Jesús, el que inicia y consuma la fe, el cual, en lugar del gozo que se le proponía, soportó la cruz sin miedo a la ignominia y está sentado a la diestra del trono de Dios. Fijáos en aquel que soportó tal contradicción de parte de los pecadores para que no desfallezcáis faltos de ánimo. No habéis resistido todavía hasta llegar a la sangre en vuestra lucha contra el pecado.

Habéis echado en olvido la exhortación que como a hijos se os dirije: Hijo mío no menosprecies la corrección del Señor; ni te desanimes al ser reprendido por él.>>

(Hb 12, 1-5)

Al término de la Confesión, el sacerdote habitualmente ordena hacer una oración o un acto específico que nosotros llamamos penitencia. Una persona adulta, estimulada por los acontecimientos de Medjugorje, se convirtió al catolicismo y se preparó para recibir los Sacramentos. Durante la Confesión, cuando el sacerdote le prescribió como penitencia una oración particular, esta persona se sorprendió y con voz grave le respondió: "¿Penitencia? ¿Pero no me explicó usted que es un gozo el poder orar y el ser invitados a orar y también que la felicidad más grande consiste especialmente en sentirnos perdonados? ¡Claro que voy a hacer la oración que usted me ordena y sepa que esto no será para mí una penitencia!"

Otra persona, cuyo único deseo después de mucho tiempo era confesarse, después de hacerlo preguntó gentilmente al sacerdote: "Dígame Padre, ¿qué cosa debo hacer como castigo?" El confesor replicó: "Como castigo nada. Pero como signo de tu buena voluntad y de la promesa de que no continuarás destruyéndote a ti mismo, reza..."

Eso que conocemos como penitencia no debe ser entendida como un castigo, como la negación de un derecho o como un perjuicio.

La penitencia es la parte más bella de la Confesión, cuando podemos ofrecer a Quien nos ha invitado a sentarnos de nuevo a Su mesa, un acto concreto como signo de nuestra gratitud y de la renovación de nuestra disponibilidad.

La Confesión es el momento gozoso de la liberación de una carga y de la curación de una herida. Es el símbolo que Dios nos ha dejado a través de los tiempos y la posibilidad de transformar y madurar nuestra vida. La penitencia no es sino nuestro testimonio sobre tal evento. En sí misma, es la continuación de nuestra curación. Esta última podrá ser dolorosa, pero siempre será mejor estar en proceso de ser curados que haber perdido toda esperanza.

Tener una verdadera conciencia de la penitencia significará, estar dispuestos a proseguir la lucha contínua contra aquellas cosas que son una fuente de pecado y que constituyen una ofensa a nosotros mismos, a los demás, a Dios. Si por ejemplo, alguien se da al alcoholismo, estará destruyendo su propia paz interior, la de su familia e incluso la de la comunidad a la que pertenece.

¿Cuál podría ser entonces la penitencia para una persona así? Buscar cada mañana en la oración la fortaleza para dominar la tentación del alcohol, hasta alcanzar la curación total. Para el que blasfema o se irrita frecuentemente con los demás, una penitencia relativa sería: cultivar cotidianamente su corazón y su alma, a fin de lograr un cambio en su comportamiento... Mientras no exista una conciencia viva del significado de la penitencia, puede darse que ocurra lo que no debería ocurrir: que el pecado no sea tomado con seriedad, ni constituya una herida que amerite ser curada. Es por eso que a veces tenemos la impresió de que en realidad nada cambia en nuestra alma después de la Confesión.

Es necesario colaborar con la gracia que nos es concedida. Si no lo hacemos así, entonces todo será inútil como inútil sería sembrar una tierra sin cultivar y en la que las piedras siempre parecerán más grandes.

La penitencia requiere de una disposición interior para obtener la gracia, la curación y la capacidad para volver a comenzar.

Cuando nos convenzamos de que vale la pena ser sanados, de lo que significa ser capaces de amar, perdonar y ser misericordiosos, entonces no tendremos ninguna dificultad en aceptar el remedio para una curación que durará toda la vida.

DE LA PREPARACION A LA CONFESION

<<Ahora bien, las obras de la carne son conocidas: fornicación, impureza, libertinaje, idolatría, hechicería, odios, discordias, celos, ira, rencillas, divisiones, disensiones, envidias, embriagueces, orgías y cosas semejantes, sobre las cuales os prevengo, como ya os previne, que quienes hacen tales cosas no heredarán el Reino de Dios.>>

(Gál 5, 19-21)

Si queremos confesarnos debemos primero prepararnos a la Confesión o bien, en otras palabras, examinar la propia conciencia. El examen de conciencia puede ser realizado de diversas maneras, pero el fin será siempre el mismo: contemplar y reconsiderar la propia vida así como nuestras acciones delante de Dios y a la luz de la Verdad Divina, de acuerdo a las palabras de Jesucristo y reflexionar sobre ello.

Aquí sería útil mencionar dos posibilidades. Podemos examinar nuestra conciencia trayendo a la mente todas las faltas que hemos cometido y referirlas al sacerdote. No obstante, podríamos también considerar nuestra conducta delante de Dios y buscar de dónde procede el mal.

A fin de que logremos captar mejor esto último, pensemos por un momento en un reproche común que frecuentemente se hace en contra de la medicina tradicional. Se dice que, a menudo, la medicina clínica considera únicamente los síntomas de la enfermedad para prescribir un medicamento. Pero existen también otras orientaciones y una de ellas es la homeopatía, que no da tanta importancia a los síntomas como al hecho de determinar las causas de la enfermedad que afecta al cuerpo y de la cual se desprenden también los síntomas. Por ejemplo, se puede padecer un dolor de cabeza e ingerir los medicamentos para combatirlo. Pero el dolor de cabeza podría estar presentándose por motivos específicos, tales como la tensión nerviosa, un tumor etc.

Lo mismo sucede con la Confesión. Podemos confesar que hemos montado en cólera, pero podríamos ir más allá de la actitud y descubrir de qué se deriva nuestra cólera. ¿Será atribuible a un exceso de trabajo, o más bien porque nuestro egoísmo o nuestro orgullo nos llevan a irritarnos cada vez que los demás no se comportan como nosotros queremos?

Así pues, para una buena preparación a la Confesión, es necesario examinar detenidamente las causas que nos predisponen al pecado, en vez de enumerar aisladamente los pecados.

Nosotros podemos reprocharnos y acusarnos de no orar, pero el verdadero problema reside a nivel de la fe y en cuánta necesidad tenemos de Dios. Por eso, en vez de acusarnos de que no oramos, deberíamos considerar atentamente qué es lo que ha provocado el debilitamiento de nuestra fe y la falta de interes en progresar espiritualmente.

Solamente cuando examinemos la disposición interior, todo lo demás resultará más claro. Por otro lado, la verdadera pregunta siempre será: ¿Estoy haciéndolo todo, de tal manera que puedan crecer el amor, la fe, la esperanza dentro de mí? En conclusión, es cierto que los pecados concretos constituyen para nosotros el punto de partida para escrutar nuestra conciencia. Con todo, el fin primordial para realizar un examen a fondo es la reeducación contínua en la fe y en el amor. **Nosotros no nos examinamos únicamente para encontrar el pecado, sino también para buscar las condiciones mejores para nuestro crecimiento como cristianos.**

La preparación a la Confesión se hace con referencia a los Diez Mandamientos. Esto nos ayudará a crear una correcta relación con Dios, con los hombres, con las cosas y con nosotros mismos también.

En el mandamiento del amor, Jesús estableció un criterio absoluto para examinar nuestra conducta. Este mandamiento contiene en sí mismo toda la Ley y los Profetas.

Para Jesús es el único mandamiento, por el cual los Suyos serán reconocidos, recompensados pero igualmente rechazados. Es a través del mandamiento del amor que nosotros debemos examinar con toda sinceridad nuestra conducta y que seremos capaces de reconocer con mayor facilidad nuestras culpas personales y las de los demás y descubrir asimismo el propósito de nuestra vida cristiana y cómo ponerlo en práctica.

EL ARREPENTIMIENTO

Para una buena confesión, el arrepentimiento es una condición esencial Este no es otra cosa sino un sincero pesar por habernos destruído con el pecado y por haber anulado con ello los dones de la gracia, al no habernos esforzado por crecer en el amor. Es a partir del arrepentimiento que debe surgir la seria determinación de combatir el mal que nos destruye y al mismo tiempo la seria decisión de servirnos de los medios que nos ayudan a crecer en el amor.

Solamente cuando comprendamos lo que significa no tener la voluntad de crecer y el estar dispuestos a destruirnos, podremos exclamar con todo el corazón: "Me arrepiento, no volveré a hacerlo." De no ser así, cualquiera caerá en el error de decir: "De acuerdo, lo siento. Pero no puedo prometer que la próxima vez no volverá a sucederme lo mismo." Si de antemano me inclino a pensar que puede ocurrirme de nuevo, entonces no estaré siendo sincero delante de Dios ni de mí mismo.

Es cierto que, tal y como somos y en el mundo en que vivimos, difícilmente seremos capaces de desarrollar las condiciones óptimas para ser perfectos, conforme a la ley del amor a Dios y al prójimo.

De cualquier modo, no sería bueno dar lugar a la convicción de que jamás llegaremos a ser perfectos en el amor, porque esto sólo nos provocaría tensiones interiores y temores. Por el contrario, confiando en el auxilio de Dios y en Su misericordia, debemos tratar de seguir adelante. La dirección de nuestra vida y todos nuestros actos deben orientarse al propósito de mejorar cada día y, con el amor, de acercarnos siempre más a Dios y a nuestro prójimo. Sólo así lograremos darnos cuenta hasta qué punto puede ofender a Dios y entristecerlo nuestra autodestrucción.

Con el arrepentimiento no se exige de nosotros una decisión irrevocable ni la relización inmediata de una vida perfecta. Se trata más bien de que afrontemos la Confesión con la íntima convicción de que haremos todo lo posible por crecer en el amor, evitando el pecado y el mal.

Cuando miremos la vida de frente a esta perspectiva y nos decidamos definitivamente a librar ese combate, nos resultará mucho más sencillo triunfar en este campo.

El arrepentimiento implica absolutamente la decisión de evitar aquellos actos y ocasiones, en los que sería muy fácil recaer. Y la confesión mensual, para tal propósito, es una buena medicina y una forma de protección.

LA ACTIVIDAD DE SATANAS

Es importante recordar que la configuración del planteamiento sobre el pecado y su curación a través del Sacramento de la Reconciliación están íntegramente presentes en los mensajes de la Santísima Virgen en Medjugorje. Nuestra Madre Celestial habla siempre de una manera simple y clara: Ella nos advierte que Satanás existe, que está actuando; que quiere provocar el desorden y la confusión, encender la hoguera del odio y propiciar el mal. Ella nos pone en guardia para que nosotros no colaboremos con Satanás. Nos dice que no debemos tener miedo de él, que oremos y amemos intensamente, a fin de que todo sea transformado para bien.

Todos nosotros hemos descubierto el hecho, de que el mal habita en nosotros a través de los hábitos que nos tienen cautivos y que nos conducen a la destrucción y al pecado. Con todo, nosotros no estamos solos cuando obramos el mal: hay también algo externo a nosotros que nos induce a hacer el mal. Se trata de la colaboración del mundo con el Maligno. Lamentablemente esto es cierto y al mismo tiempo muy impactante: Satanás puede influir directamente en nuestras decisiones, prometiéndonos toda clase de placeres; él siempre intentará apartar nuestra mente y nuestro corazón del bien e inducirnos al mal.

Mucha gente ha experimentado, por ejemplo durante la oración, la tentación de blasfemar o de deshonrar lo sacro etc. Casi siempre, ante una situación de este tipo, la persona se llena de temor y se siente culpable. ¡No! No debe dejarse vencer. No debe sentirse así. Especialmente, no debe justificarse. Cuando esto le suceda, únicamente debe continuar orando y bendecir en la paz al Señor.

Estas ocasiones prueban ser muy favorables para el individuo y aun para aquellos que están inclinados a blasfemar. Y es que cuando algo así llegara a ocurrirnos, sería un momento propicio para redimir un pecado que otros cometen y del que no se han arrepentido.

Tampoco debemos atribuir a Satanás todas nuestras actitudes negativas, ni pensar que todo es culpa suya.

De hecho, nosotros libremente podemos escoger el ser partícipes del mal con nuestras acciones y nuestros hábitos. Sin embargo, de igual modo tampoco se debe excluir totalmente la actividad de Satanás, ya que él no respeta nada ni a nadie.

En particular, él nunca dejará en paz a todos los que han decidido glorificar el nombre de Dios en vez de blasfemar. Tampoco a los que han escogido amar y perdonar en lugar de perseverar en el odio. Ni siquiera a los que han determinado dejar de beber y alejarse de toda ocasión que pueda tentarlos en ese sentido, ni a los que han decidido dejar de abusar del don de la sexualidad y atenerse al orden establecido por Dios.

Satanás no es un ingenuo. El sabe que representa un peligro para nosotros y siempre hará todo lo posible para tentarnos, obstaculizarnos e inducirnos al mal.

Por tanto, sería saludable tener presente en nuestra preparación a la Confesión, cuáles son las potencias que nos estimulan o nos oprimen. Si se trata de algo que es malo y negativo, entonces sin duda se puede afirmar que se trata de la acción de Satanás, particularmente en el caso de almas piadosas que desean pertenecer a Dios por entero.

<<Sed sobrios y velad. Vuestro adversario, el Diablo, ronda como león rugiente, buscando a quién devorar. Resistidle firmes en la fe, sabiendo que vuestros hermanos que están en el mundo soportan los mismos sufrimientos. El Dios de toda gracia, el que os ha llamado a su eterna gloria en Cristo, después de breves sufrimientos, os restablecerá, afianzará y os consolidará. A El el poder por los siglos de los siglos. Amén.>>

"¡Queridos hijos! Hoy quisiera envolveros con Mi manto y guiaros por el camino de la santidad. Yo os amo y por eso deseo que seáis santos. No quiero que Satanás os obstaculice en este camino. Queridos hijos, orad y aceptad todo lo que Dios os presenta en este camino, que es doloroso. Pero a quien comience a recorrerlo, Dios le revelará toda la dulzura, de modo que pueda responder a cada llamado Suyo. No déis importancia a las pequeñas cosas, sino aspirad al cielo y a la santidad.

¡Gracias por haber respondido a Mi llamado!"

25. 7. 2987

"¡Queridos hijos! En estos días, Satanás está tratando de obstaculizar Mis planes. Orad para que su plan no tenga éxito. Yo oraré a Mi Hijo Jesús para que El os conceda reconocer Su victoria sobre las tentaciones de Satanás.

¡Gracias por haber respondido a Mi llamado!"

12. 7. 1987

No basta, como quiera, protegerse de Satanás sólo para que se cumpla el proyecto de nuestra salvación, sino también de todo lo que él busca oponer al plan de Dios. Es por eso que la Santísima Virgen María nos invita a la lucha contra Satanás.

"¡Queridos hijos! Hoy os invito a librar el combate contra Satanás por medio de la oración, particularmente en estos días (Novena de la Asunción).Satanás quiere actuar más intensamente ahora que vosotros conocéis su actividad. Queridos hijos, revestíos de la armadura contra Satanás y vencedlo con el Rosario en la mano.

¡Gracias por haber respondido a Mi llamado!"

8. 8. 1985

CONSEJOS PRACTICOS PARA PREPARARSE AL SACRAMENTO DEL PERDON

(EXAMEN DE CONCIENCIA)
EL RECONOCIMIENTO

Con el propósito de prepararnos a la Confesión, nosotros podemos revisar nuestra conducta partiendo de diferentes puntos de vista. En todo caso, lo fundamental en cualquier examen de conciencia será siempre el preguntarnos, cómo están nuestras relaciones con Dios, con nosotros mismos, con nuestro prójimo y con toda la creación. Tomando como referencia el reconocimiento, comencemos nuestro examen de conciencia poniendo por encima de nuestras preguntas y respuestas, de nuestra oración y meditación, un sentimiento de acción de gracias a Dios.

A fin de comprenderlo mejor, tratemos primero de entender lo que significa el reconocimiento.

El reconocimiento es un segundo nombre para la fe. **Quien da gracias a Dios, está diciendo con ello que reconoce a Dios como su Creador y Señor y que acepta a Dios en su vida.** Ser agradecidos es, en otras palabras, aceptar con gozo los dones que Dios nos ha dado y estar dispuestos a utilizarlos según Su voluntad.

Reconocer significa, creer con el corazón y creer con el corazón significa, estar atentos al contínuo encuentro con Dios, descubriéndolo a cada paso y en todas las cosas y colaborando con El al misterio de la creación divina.

En todo caso, reconocer no supone únicamente decirle "gracias" a Dios, sino estar concretamente decididos a **colaborar** con El. Este es el auténtico sentido de la oración expresada en el Padre Nuestro: "¡Hágase Tu Voluntad!" El reconocimiento nos pone inmediatamente ante la presencia de Dios, de cara a nosotros mismos, a quienes nos rodean y a todas las demás creaturas y exige también una respuesta de nuestra parte.

La ingratitud, por el contrario, implica de hecho un

desconocimiento de Dios, un desconocimiento de Sus dones, un rechazo a colaborar con Dios y con los demás y finalmente, un abuso de los dones que El nos ha dado.

La semilla de cualquier flor expresa su gratitud a través de su crecimiento exhuberante y de su hermosura, embelleciendo al mundo que la rodea. Si todas las semillas se negaran a obedecer y a colaborar con la naturaleza, anulando su desarrollo y su maduración, entonces no habría para nosotros una sola flor ni tampoco fruto alguno, lo que significaría que no se estarían creando para nosotros las condiciones necesarias para la vida.

El hombre muestra su más sincera y ferviente gratitud, cuando permite a Dios que obre en su corazón, dándole gloria por medio del crecimiento y la maduración de su propia alma; en sentido opuesto, el signo de la más profunda ingratitud es el rechazo del hombre a colaborar con Dios, quedándose a medias en el camino de su crecimiento.

Todos los que conocen los mensajes de Medjugorje escuchan siempre al final estas palabras de reconocimiento: "¡Gracias por haber respondido a Mi llamado!"

Independientemente del agradecimiento que la Santísima Virgen imprime a cada uno de Sus llamados, Ella nos ha dado también mensajes concretos, en los que nos invita a dar gracias a Dios y a bendecirlo ¡por cada uno de Sus dones!

"¡Queridos hijos! Hoy os invito a dar gracias a Dios por todos los dones que habéis descubierto en el curso de vuestras vidas e incluso por el don más pequeño que hayáis percibido. Yo doy gracias con vosotros y deseo que todos vosotros experimentéis el gozo de estos dones y deseo que Dios lo sea todo para cada uno de vosotros. Y así, queridos hijos, vosotros podréis crecer contínuamente en el camino de la santidad.

¡Gracias por haber respondido a Mi llamado!"

25. 9. 1989

LA GRATITUD A DIOS

<<Y que la paz de Cristo presida vuestros corazones, pues a ella habéis sido llamados formando un solo Cuerpo. Y sed agradecidos. La palabra de Cristo habite en vosotros con toda su riqueza; instruíos y amonestaos con toda sabiduría, cantad agradecidos a Dios en vuestros corazones con salmos, himnos y cánticos inspirados y todo cuanto hagáis, de palabra y de obra, hacedlo todo en el nombre del Señor Jesús, dando gracias por su medio a Dios Padre.>>

(Col 3, 15-17)

ORACION

Oh Dios, Creador mío, ahora, en este momento, yo te reconozco a Ti como mi Dios. Yo te escojo a Ti como mi único Maestro. Te doy gracias porque Tú eres mi Señor y porque Tú me has creado. Glorificado y alabado seas, porque de la más profunda nada me llamaste a la vida. Gracias, porque ahora puedo venir a Ti como el hijo pródigo que retorna a su padre. Gracias, porque Tú te regocijas conmigo y porque Tu corazón de Padre está lleno de misericordia y perdón.

Ahora deseo presentarme delante de Ti, oh Padre, y quiero estar Contigo, porque sé que Tú también quieres estar conmigo. Y así como Tu corazón se ha entristecido por mi alma que ha permanecido ajena y alejada de Ti, sé que ahora se alegra porque yo regreso a Ti, lleno de gratitud.

¡Aquí estoy Padre! ¡Me mueve el Espíritu Santo, que me enseña cómo debo encontrarme de nuevo Contigo! Que Tu Espíritu Santo me ilumine, de tal forma que este reencuentro Contigo me llene para siempre de gozo, porque Tú me harás renacer. Yo glorifico Tu misericordia y reconozco el don de la fe que Tú me has dado. Así sea.

Padre, me arrepiento porque Tú no has sido en todo momento lo primero para mí y tampoco Te he dado el primer lugar en mi vida.

Me he engañado y he permitido que las cosas y las creaturas se apoderaran de mis sentimientos y de mis pensamientos. De este modo Te he ofendido a Ti, como aquel hijo que ofende y entristece a sus padres al abandonarlos y, olvidándose de ellos, pone su confianza en otras personas y en otras cosas, creyendo encontrar en ellas la paz y la salvación.

Me arrepiento de haber pretendido ser Tú, al constituirme en el árbitro del bien y del mal. Me arrepiento, porque a menudo he hecho mi propia voluntad, creyendo saber más que Tú. De este modo, he caído en un grave error, induciendo a otros a caer también. ¡Cuántas veces he reaccionado en contra de Tu Santa Voluntad!

Hoy me arrepiento, porque muchas veces me he dejado arrastrar por el temor y la desconfianza y con ello sólo me he atormentado y me he engañado, olvidando que no debo preocuparme por nada, porque Tú cuidas de aquellos que, en sus vidas, buscan primero que nada Tu Reino y Tu justicia. Me arrepiento, porque con mi comportamiento he perdido la dignidad que Tú me has conferido por medio de mi Bautismo.

Tú me has dado la posibilidad de encontrarte en la oración y en la Santa Misa, en la Confesión y en la Eucaristía. Sin embargo, yo no he mostrado sino indiferencia ante Tus propuestas de auxilio, perdiendo así el sostén que Tú me ofrecías.

¡Te agradezco que me hayas creado libre! Y sin embargo, yo Te pido perdón por todas las veces que, en mi libertad, he decidido actuar contra Tu Santa Voluntad. Tu Santa Voluntad sólo busca mi bien y el bien de todos los demás.

Padre, con esta confesión yo quiero decidirme completamente por Ti.

Te entrego mi corazón herido y destruido por mis pecados; un corazón que no se ha alimentado de la bondad, del amor, de la paz y del gozo. Te pido que me perdones y que renueves mi alma por medio de esta confesión.

Ahora Te pido Padre, que llenes con Tu amor y Tu misericordia al sacerdote que, en Tu nombre, me ayudará a conducir mi vida por el camino que Tú me has señalado. Señor, ayúdalo a él también, a ser siempre Tuyo. ¡Que también su corazón escoja pertenecerte totalmente a Ti, para que sólo Tú seas su Señor y pueda liberarse de cualquier otra atadura y esclavitud. Que Tú siempre lo seas todo y estés en todo para él, de modo que, como siervo Tuyo, él sea capaz de instruirme y alentarme en Tu nombre. Abre su corazón y sus oídos para que pueda comprenderme y conducirme hacia el bien.

Perdóname, porque hasta hoy no he sabido amarte ni preferirte a Ti, mi Dios y Señor, por encima de todas las personas y creaturas. Señor, Te pido al mismo tiempo por los que Te han abandonado, a pesar de haberte conocido y de ser Tus hijos. Que Tu corazón de Padre se regocije con su retorno a Ti.

Te pido por todos los que aun no Te conocen.

Te pido por los padres y madres de familia que no enseñan a sus hijos desde pequeños a darte a Ti el primer lugar en sus vidas. Perdónalos y manifiéstate a ellos como el Señor y el Salvador de todos.

Mira igualmente con misericordia a quienes conscientemente se oponen a Ti. También ellos son Tus hijos. A nombre de aquellos que no Te aceptan, yo deseo confesar nuestro ateísmo. Te ruego que nos reveles Tu amor a todos nosotros, para que seamos capaces de acogerte y servirte

todos unidos, como lo hicieron María y Tu Hijo Jesucristo.
Amén.

<<Proclama mi alma la grandeza del Señor,
se alegra mi espíritu en Dios mi salvador;
porque ha mirado la humillación de su esclava.
Desde ahora me felicitarán todas las generaciones,
porque el poderoso ha hecho obras grandes por mí;
su nombre es santo
y su misericordia llega a sus fieles
de generación en generación.
El hace proezas con su brazo;
dispersa a los soberbios de corazón,
derriba del trono a los poderosos
y enaltece a los humildes,
a los hambrientos los colma de bienes
y a los ricos los despide vacíos.
Auxilia a Israel, su siervo,
acordándose de su misericordia
-como lo había prometido a nuestros padres-
en favor de Abraham y su descendencia por siempre.>>

(Lc 1, 46-55)

(Permanezco ahora en silencio y examino mi
conciencia, ¡para decidirme a rectificar mi camino, y a
continuar creciendo en mi amor a Dios!)

*"¡Queridos hijos! Hoy también los invito a la oración.
Yo siempre los estoy invitando, pero vosotros aun estáis
muy lejos. Por eso, a partir de hoy, decidíos seriamente
a dedicarle más tiempo a Dios. Yo estoy con vosotros y
deseo enseñaros a orar con el corazón. En la oración con
el corazón, vosotros encontraréis a Dios. Por eso,
pequeños hijos, ¡orad, orad, orad!*

¡Gracias por haber respondido a Mi llamado!"

25. 10. 1989

TE DOY GRACIAS POR EL DON DE LA VIDA

<<Os digo, pues, esto y os conjuro en el Señor, que no viváis ya como viven los gentiles, según la vaciedad de su mente, sumergido su pensamiento en las tinieblas y excluídos de la vida de Dios por la ignorancia que hay en ellos, por la dureza de su cabeza los cuales, habiendo perdido el sentido moral, se entregaron al libertinaje, hasta practicar con desenfreno toda suerte de impurezas. Pero no es éste el Cristo que vosotros habéis aprendido, si es que habéis oído hablar de él y en él habéis sido enseñados conforme a la verdad de Jesús a despojaros, en cuanto a vuestra vida anterior, del hombre viejo que se corrompe siguiendo la seducción de las conscupiscencias, a renovar el espíritu de vuestra mente, y a revestiros del Hombre Nuevo, creado según Dios, en la justicia y santidad de la verdad.>>

(Ef 4, 17-24)

ORACION

Oh Dios, Creador de todas las cosas, Te doy gracias por haber creado la vida. Te alabo y Te doy gracias por haberme llamado de la nada a la existencia. Hoy acojo conscientemente el don de la vida. Bendito seas Señor, en el acto de la creación. Bendice a mi padre y a mi madre. Tú me generaste en el seno de mi madre. Te doy gracias por el amor con el que ella me aceptó y cuidó de mí.

Te doy gracias porque Tú has querido que yo fuera semejante a Ti en el amor. Te doy gracias porque Tú quieres que mi vida se enriquezca con la Tuya.

Padre Celestial, Te confieso que no siempre he tomado en serio la vida que Tú me has dado. Te confieso haberla destruído con el pecado.

A menudo he permitido también que el orgullo y la inquietud sofocaran el don del amor, impidiendo su

81

desarrollo dentro de mí. Asimismo he destruído mi vida, al no haber dedicado suficiente tiempo a mi alma y a mi espíritu. He pecado contra la vida, porque le he dado más importancia a mi cuerpo y no me he ocupado de los valores espirituales: **el amor, la esperanza, la fe, la paciencia, la humildad y la religión.**

Sé que de esa manera he hecho a un lado mi amistad Contigo, al no obrar para hacer fructificar los talentos que Tú me has confiado. A causa de mi pereza, muchos de Tus dones han permanecido estériles, obstaculizando así tantas posibilidades de crecer. He permanecido inactivo, indeciso e inmaduro. Y Tú deseabas para mí la plenitud. Tú querías sentirte orgulloso de mí, como el padre que se siente orgulloso por ese hijo o hija que en todo se asemejan a su papá y a su mamá.

Al dar lugar a la desarmonía entre mi cuerpo y mi alma, me he quedado a la mitad de mi camino como ser humano. Con ello, he mostrado al mundo una imagen distorsionada de Ti. Tampoco he podido dar un verdadero testimonio de Tu amor, de Tu misericordia y de Tu perdón, porque me he negado a crecer. Perdóname.

Me pesa haber abusado de mi libertad, de mis oportunidades de hablar, de trabajar y de colaborar Contigo. Perdóname porque me he dejado impresionar por las cosas materiales y porque mis vicios me han alejado de Ti y de mis hermanos y hermanas.

Muchas veces me he sentido inquieto y lleno de cólera. No he tratado de ponerme de acuerdo con los demás, ni me he esforzado tampoco por comprenderlos.

Perdóname, porque he abusado de Tu bondad, cada vez que me he dejado atrapar por la angustia y la aflicción. Hoy acepto de nuevo mi vida con gratitud. Deseo expresarte esta gratitud colaborando cn Tu Santa Voluntad. Por mi falta de responsabilidad, he sido como la higuera estéril. Hoy decido colaborar Contigo, con todo mi corazón. Te doy gracias, porque por medio del perdón abres mi corazón a un nuevo crecimiento, porque me concedes la oportunidad de volver a comenzar.

Te doy gracias, porque en mí se cumplirá la palabra: "¡Oh bendita culpa!" y probaré así Tu amor y Tu misericordia.

Envía Tu Espíritu Santo sobre mí. Que El me ilumine y me guíe a la plenitud que Tú tienes reservada para mí.

(Ahora permanezco un rato en silencio y examino concretamente el comportamiento de mi vida. ¿La he destruído con el orgullo, la angustia y el exceso de trabajo o la pereza; con el rechazo a los demás y la auto-complacencia; con el culto al cuerpo y el exceso en los alimentos; con el alcohol, con las drogas, con algún desequilibrio entre mi alma y mi cuerpo? Particularmente debo preguntarme, si no se ha generado el desorden en mi vida a causa de un comportamiento sexual inmoral, que haya amenazado mi desarrollo emocional. Si he abusado de ese don, me he convertido en un egoísta que piensa únicamente en su propio placer.)

Hoy, con esta confesión, Tú me sanas completamente y me rehabilitas para ser capaz de colaborar de nuevo Contigo, a fin de que mi vida sirva para glorificarte a Ti y para beneficio de mis hermanos y hermanas.

No deseo seguir siendo en Tu huerto una planta sin frutos; no deseo ser una higuera estéril en Tu campo, y tampoco una hierba mala junto a Tus demás plantas buenas.

Quiero ser una fortaleza construída sobre el monte. Quiero ser una lámpara encendida que se pone en alto para iluminar toda la casa. Quiero ser el grano de mostaza que germina y crece, no obstante su pequeñez.

¡Quiero, en adelante, que Tú puedas aceptarme como un serio y maduro colaborador Tuyo para el establecimiento de Tu Reino!

Te doy gracias Señor, porque no me has apartado de Tu presencia y porque hoy me ofreces una nueva oportunidad.

Purifica mi corazón de todas las llagas que se han formado en él a causa del pecado y del mal y de todos los sentimientos negativos, a fin de que yo pueda crecer y mostrar los frutos de la vida según Tu Espíritu.

Que este encuentro Contigo sea dentro de mí como una nueva primavera. Que todo florezca en mí y produzca frutos abundantes. Que yo sea como la lluvia exhuberante para la tierra reseca; como el sol de primavera para la tierra congelada. Como el beso de la madre que desea dar a su bebé lo mejor y lo más precioso que ella posée, para ayudarlo a crecer como hombre y como cristiano.

Vuelve Tu mirada hacia mi desorden y, con el poder de Tu Espíritu, recrea en mi interior ese orden original que perdí al abrir mi corazón al pecado.

Enciende en mí el entusiasmo, para que yo pueda seguir esos nuevos pasos que me acercarán cada vez más a Ti. Ayúdame a comprender, que mi vida cristiana no consiste sólo en estar atento a no pecar, sino en progresar siempre más en la santidad y en la bondad, según Tu voluntad.

Padre, Te pido también por el sacerdote que me va a confesar. Ayúdalo a proceder de acuerdo a Tus deseos. Haz que, por medio de él, yo pueda experimentar el amor, la fe, la esperanza, el gozo, la paz, la paciencia, la bondad, la sabiduría y la fortaleza de tal manera que él sea para mí un estímulo que me impulse a renunciar a cualquier forma de autodestrucción y que contínuamente acepte yo colaborar Contigo.

Bendice a mi confesor, para que él también pueda realizarse como persona y en su misión como sacerdote.

Bendice a mi confesor con el don de Tu Espíritu, para

que -como buen maestro- sepa darme en Tu nombre el consejo justo y encuentre las palabras apropiadas para alentarme a crecer y a disfrutar la posibilidad de asemejarme cada vez más a Ti.

Concédele la capacidad y la sabiduría, para que él pueda advertirme contra aquello que me conduce al desorden. Que todo esto sea para gloria y alabanza Tuya. Amén.

TE DOY GRACIAS
POR TODOS LOS QUE ME RODEAN

<<Por tanto, desechando la mentira, hablad con verdad cada cual con su prójimo, pues somos miembros los unos de los otros. Si os airáis, no pequéis; no se ponga el sol mientras estéis airados, ni deis ocasión al Diablo. El que robaba que ya no robe, sino que trabaje con sus manos, haciendo algo útil para que pueda hacer partícipe al que se halle en necesidad. No salga de vuestra boca palabra dañosa, sino la que sea conveniente para edificar según la necesidad y hacer el bien a los que os escuchen. No entristezcáis al Espíritu Santo de Dios, con el que fuísteis sellados para el día de la redención. Toda acritud, cólera, gritos, maledicencia y cualquier clase de maldad desaparezca entre vosotros. Sed más bien buenos entre vosotros, entrañables, perdonándoos mutuamente como os perdonó Dios en Cristo.>>

(Ef 4, 21-35)

ORACION

Dios mío, para crearme Te has servido de los hombres. También has querido que yo fuera instruído y formado por medio de otras personas. Por eso, hoy Te doy las gracias conscientemente por todos los que me rodean. Tú los creaste para llenar de posibilidades mi vida y para que yo fuera educado y guíado por ellos.

Perdóname, porque muchas veces yo no he querido comprender a los demás; perdóname las ofensas que les he inflingido, cuando los he lastimado al humillarlos, al menospreciarlos, al denigrarlos, al despreciarlos, al calumniarlos y al comportarme con ellos con irritabilidad, como una persona maleducada y desleal. Ahora comprendo la naturaleza del pecado con el que yo puedo herir a mi prójimo, confundirlo, entristecerlo, desalentarlo y apartarlo del camino de la paz.

Ahora comprendo Jesús, porqué Tú dijiste: "Ama a tu prójimo como a ti mismo." Porque el prójimo es un don para mí y no alguien para causarme fastidio ni enojo o para incitarme al mal. Está ahí para ayudarme con su presencia, sus talentos e incluso con sus defectos a crecer en el amor. ¡Cuán ingrato he sido con los demás! Nunca he tomado en cuenta cuánto depende mi vida de ellos! Me pesa sobre todo, no haber amado más a mi padre y a mi madre por haberme dado la vida. Ellos se ocuparon tanto de mí y lo hicieron todo por mí.

Perdóname Dios mío, porque en torno a mí ha habido personas condenadas, marginadas, despreciadas, extraviadas; personas abandonadas, pobres, exiliadas y yo no he hecho nada por ellas. Esto representa para mí un signo de que el amor a mí mismo y el amor a mi prójimo no han sido completos. Perdónanos, porque hemos descuidado la santa llama del Amor dentro de nosotros. Nos hemos preocupado por las cosas pequeñas e inútilmente hemos perdido nuestro tiempo y los dones de los que disponemos.

Perdóname por toda la frialdad que he mostrado a los demás, particularmente en los momentos de dificultades personales. Perdóname por las veces que no he escuchado a los demás, actuando únicamente según mi propia voluntad. De esa manera he sofocado el espacio para ellos. No les he dado la oportunidad de manifestar los dones que ellos poséen. Ahora reconozco por qué cualquier situación de desorden que yo provoco con mi voluntad o con mi conducta es un pecado: es nociva para los demás, para el orden y para todo lo que Tú has colocado a mi alrededor.

Me arrepiento por el desorden de mi vida sexual. Tú has creado el don de la sexualidad. Has querido que existiera la atracción entre el hombre y la mujer. Has querido que los esposos se complementen entre sí y sean un solo cuerpo y un mismo espíritu. Tú sabes, oh Señor, cuántas veces yo he abusado de ese don, preocupándome tan solo por satisfacer mis placeres egoístas.

Sé que al actuar así, he amenazado seriamente mi madurez, porque no he aniquilado suficientemente mi propia voluntad.

Tú sabes Señor, las cosas que yo he hecho con otros y lo que los otros han hecho conmigo. Tantas veces me he escandalizado cuando los demás se han comportado de manera indigna, viviendo la sexualidad de un modo degradante y sin embargo, yo lo he hecho también. Perdóname y ayúdame para que yo sepa hacer uso de este don, tal y como Tú lo has determinado.

(Ahora me examino para ver cómo ha sido mi comportamiento en este sentido. Deberé hablar francamente con el sacerdote; especialmente si ha habido dificultades o episodios poco claros o si se ha manifestado alguna desviación. No es porque todo eso pueda interesar al sacerdote, sino porque la Confesión me proporcionará la ayuda que requiero para encontrar el justo medio.)

Te pido por todos aquellos que han pecado conmigo, por los que yo he inducido al libertinaje y que ahora sufren a causa de la situación de desorden que se ha creado en su vida sexual.

Perdónanos, porque son tantas las veces que hemos abusado del don de la sexualidad y hemos deshonrado así el templo construído por Ti en el acto de la creación.

Asimismo Señor, yo pongo delante de Ti a todas las víctimas del abuso sexual. Yo imploro Tu misericordia y perdón para todos los que, con su comportamiento depravado, han ejercido la violencia sobre otros, para los que han extraviado a los niños y han violado la santidad de sus cuerpos.

Te pido por todos aquellos que han transgredido la vida

sexual dentro de sus familias y que se han dejado esclavizar por la conscupiscencia.

Ten misericordia de todos los homosexuales y lesbianas. Salva a aquellos que se venden o que han sido inducidos a venderse como esclavos en casas de prostitución. Convierte y despierta a los propietarios de esos lugares y a los seductores.

Todo esto es parte del pecado colectivo del mundo en que vivimos y que ahora padecemos. Perdona al mundo entero y sé misericordioso con todos.

Te pido por todos los que han enfermado de SIDA por haber hecho mal uso de su sexualidad, a causa de su fragilidad o porque se han extraviado. Ten misericordia de todos aquellos que son víctimas inocentes de este terrible mal, como consecuencia del pecado de otros.

Perdónanos por cualquier depravación del don de la sexualidad, para que nuestro amor pueda ser sanado y para que todos nosotros podamos crecer nuevamente en el amor.

Señor, todos nosotros sufrimos mucho porque estamos angustiados y somos impacientes, porque estamos atados a las cosas materiales y a las personas, destruyéndonos y pisoteándonos con ello a nosotros mismos, a los demás y a las cosas. Purifica Señor, nuestra conducta frente a los otros seres humanos, de modo que nuestro amor al prójimo sea perfecto.

(Ahora permanezco en silencio y examino mi actitud interior hacia el prójimo. Me pregunto, si en mi corazón existe orgullo o negligencia para con los que me rodean; si existe alguna postura de injusticia o cualquier otra cosa que sofoque la santa llama del Amor en mí y en los demás...)

Padre Santo, hazme digno de amarte en mi prójimo. Y al buscar Tu perdón por haber destruído Tus dones en mí y en los demás, Te pido que nos concedas a todos la fortaleza para perdonarnos unos a otros, para poder continuar siempre adelante en nuestro camino a la santidad a la que nos llama, nos educa y nos habilita Tu amor.

Concede a todos los que me rodean la fuerza para perdonarme y ayúdame a mí también a saber recibir su perdón.

Ahora me decido de nuevo a dejar brillar en mí y en cualquier otro hombre la santa llama del Amor. Voy a hacer todo lo posible para que ésta no se extinga y se conserve, para que caliente siempre mi corazón y el de mi prójimo.

¡María, Madre nuestra! ¡Haz que con Tus consejo y Tu apoyo todos nosotros, Tus hijos, podamos crecer en el amor recíproco!

Que la paz y el amor sean el testimonio de que nosotros Te pertenecemos a Ti. ¡Que con Tu protección, la santa llama del Amor resplandezca y sea aceptada en cada familia, en cada comunidad, en la Iglesia y en el mundo entero! Tú Virgen y Madre, que realizaste en Ti el misterio de la virginidad y la maternidad, ayúdanos a preservar la santa llama del Amor y a no permitir que se apague. Y, si disminuyera, ayúdanos a buscar de nuevo al Autor de la Flama Divina, para que no sigamos en tinieblas. Amén.

ACCION DE GRACIAS POR LAS CREATURAS

<<Saldrá un vástago del tronco de Jesé,
y un retoño de sus raíces brotará.
Reposará sobre él el espíritu de Yahveh:
espíritu de sabiduría e inteligencia,
espíritu de consejo y fortaleza,
espíritu de ciencia y temor de Yahveh.
Y le inspirará en el temor de Yahveh.
No juzgará por las apariencias,
ni sentenciará de oídas.
Juzgará con justicia a los débiles,
y sentenciará con rectitud a los pobres de la tierra.
Herirá al hombre cruel con la vara de su boca,
con el soplo de sus labios matará al malvado.
Justicia será el ceñidor de su cintura,
verdad el cinturón de sus flancos.
Serán vecinos el lobo y el cordero,
y el leopardo se echará con el cabrito,
el novillo y el cachorro pacerán juntos,
y un niño pequeño los conducirá.
La vaca y la osa pacerán,
juntas acostarán sus crías,
el león, como los bueyes, comerá paja.
Hurgará el niño de pecho en el agujero del áspid,
y en la hura de la víbora
y el recién destetado meterá la mano.
Nadie hará daño, nadie hará mal
en todo mi santo Monte,
porque la tierra estará llena de conocimiento de Yahveh,
como cubren las aguas el mar.
Aquel día la raíz de Jesé
que estará enhiesta para estandarte de pueblos,
las gentes la buscarán
y su morada será gloriosa.>>

(Is 11, 1-10)

ORACION

¡Padre del Cielo! Tú creaste la tierra y todo cuanto en ella habita y la confiaste al hombre. Querías que el hombre sometiera a la tierra, que la cultivara y que se sirviera de los frutos recibidos de Ti.

Hoy Te confieso mi pecado, el de haber abusado de Tus creaturas y de las leyes que Tú determinaste para ellas. Me he hecho esclavo de las creaturas y Te he rechazado a Ti como Señor de la vida. Muchas veces ha sido para mí más importante el tener, el poseer y el gozar que servirte a Ti.

A causa de mi esclavitud hacia las cosas creadas por Ti, he entrado en conflicto con Tu voluntad y con las personas que me rodean. Me he sentido celoso de aquellos que tienen más o que saben más que yo. Me he dejado absorber a tal grado por las cosas materiales, hasta olvidarme de que Tú eres mi Sumo Bien. ¡Perdóname!

Hoy, antes de esta confesión, Te escojo a Ti como mi Señor. Yo renuncio a todo aquello que me causa disputas, discusiones, conflictos, odio, celos y envidias. Tú eres mi Dios y no quiero tener a ningún otro. ¡Haz que esta decisión mía sea definitiva y para siempre!

Me pesa Señor, haberme servido de una manera egoísta de los bienes que Tú me has confiado. Sólo he tomado en cuenta a aquellos que poséen más que yo, los he envidiado e ignorado a los pobres. Al confiarme bienes materiales, Tú querías que yo fuera dichoso y capaz de compartirlos con los demás. Perdóname, porque he sido un ciego y no he visto lo que tengo, preocupándome únicamente de aquello que me falta. Me he empeñado en poseerlo todo, porque nunca estoy satisfecho. De ahora en adelante, yo quiero ser un buen administrador de los bienes que Tú me has confiado. ¡Ayúdame, Señor!

Concédeme la gracia de admirarte, porque, de una manera extraordinaria, Tú me has provisto de todo lo necesario. ¡Perdóname por haberlo olvidado! Padre, debo confesarte que no he usado con moderación los dones de la naturaleza. He destruído mi salud, disfrutando en exceso de la comida y la bebida. Tú no querías eso, porque sabías que sería mi ruina.

(Aquí deberán examinarse todos los que probablemente se han procurado un gran daño, porque han comido y bebido demasiado y sólo por placer; aquellos que ingieren drogas u otras substancias peligrosas, aniquilándose totalmente como personas y minando auténticamente la base de su crecimiento en el amor y la paz, ¡en detrimento de la tranquilidad de quienes los aman!)

Padre, Tú conferiste a la tierra la capacidad de madurar diversos frutos y nosotros nos hemos empeñado en dañarlos, en perjuicio de nosotros mismos y de toda la humanidad. Tú creaste el hierro y otros minerales con los que se pueden crear cosas buenas, pero nosotros nos hemos servido de ellos para construir armas, con las cuales nos destruimos unos a otros.

A nombre de todo el género humano, imploro Tu perdón por tanta depravación. Perdónanos por todas las guerras, sana todas las heridas.

Ayúdanos a corregir nuestra postura ante las cosas, a fin de que, con amor y responsabilidad, podamos ponerlas al servicio de la creación y restablecer ese orden original que Tú pretendiste entre la naturaleza y el hombre.

Perdónanos a todos, porque a causa de nuestro comportamiento e ideas equivocadas hemos provocado la destrucción de la Naturaleza y hemos puesto en peligro nuestra sobrevivencia.

Te pedimos perdón por los sufrimientos que hemos acarreado a la Naturaleza, a consecuencia de nuestra conducta egoísta. Concédenos la gracia de estar dispuestos a remediar esta situación. Ayúdanos a no seguir martirizando a Tus creaturas. Ayúdanos a hacer caso de lo que nos dice San Pablo, cuando habla de que la creación entera aguarda nuestra manifestación como hijos Tuyos.

Padre, hoy he considerado mi actitud hacia Ti, hacia mí, hacia mi prójimo y hacia la Naturaleza. Vengo a Ti, consciente de la confianza que Tú depositaste en mí y confieso que la he traicionado. Aquí estoy. Me presento ante Tu misericordia y Tu amor generoso.

Te suplico: ¡no me condenes, como Tu Hijo condenó a la higuera estéril!

Ten piedad de mí, porque a partir de ahora quiero colaborar Contigo en todo.

Me arrepiento sinceramente por los errores que he cometido y que han provocado mi destrucción y también la de los demás. Perdóname por olvidarme de Ti y por el abuso que he hecho de los medios a mi disposición. Toca mi corazón con el poder de Tu Espíritu. Haz que El penetre en mí y me libere de los malos hábitos que han influenciado mis convicciones y mi comportamiento.

Padre, que esta confesión me renueve completamente, hasta hacerme capaz de alabar Tu amor, Tu perdón y Tu misericordia.

¡Oh María, Nueva Eva! Madre, Tú que me enseñas a aceptar la voluntad del Padre y me invitas a la Confesión, ¡quédate conmigo! Obtén para mí la gracia que de ahora en adelante y en toda ocasión me permita decir con sencillez y humildad: "Aquí estoy Señor, dispuesto a cumplir Tu Voluntad."

Oh María, enséñame a no oponerme más a la voluntad de Dios, sino a ponerla en práctica a cada momento, sea fácil o no. ¡Que también yo, oh María, pueda participar de la victoria sobre el mal que hay en mí y en todo el mundo! Tú eres la Madre y la Virgen que ha vencido al mal con Tu descendencia, convirtiéndote así en Corredentora.

¡María, ayúdame! ¡Enséñame a contribuir con mi vida a glorificar al Padre Celestial en la tierra!

¡María, Madre de todos los vivientes, quédate conmigo! ¡Gracias! ¡Amén!

LA ORACION DEL CONFESOR

<<El espíritu del Señor Yahveh está sobre mí,
por cuanto me ha ungido Yahveh.
A anunciar la buena nueva a los pobres me ha enviado,
a vendar los corazones rotos;
a pregonar a los cautivos la liberación,
y a los reclusos la libertad;
a pregonar el año de gracia de Yahveh,
día de venganza de nuestro Dios,
para consolar a todos los que lloran,
para darles diadema en vez de ceniza,
aceite de gozo en vez de vestido de luto,
alabanza en vez de espíritu abatido.
Se les llamará robles de justicia,
plantación de Yahveh para manifestar su gloria.>>

(Is 61, 1-3)

ORACION

Te doy gracias Padre del Cielo, por haber enviado a Tu Hijo Jesucristo a absolvernos como Sumo y Eterno Sacerdote. Te doy gracias porque El es nuestra Paz y porque El vino a destruir al enemigo, al pecado y a la muerte. Te bendigo y Te doy gracias por haber dado a los Apóstoles el poder de perdonar los pecados en Tu nombre y curar los corazones heridos con Tu misericordia. Te doy gracias por la misión de la reconciliación que has confiado a Tu Iglesia.

Bendito y glorificado seas, oh Dios, por haberme llamado a la misión sacerdotal y por haberme confiado, por medio de la Iglesia, la tarea de Conciliador.

Te doy gracias porque hoy, a través de mí, acoges en la plenitud de Tu amor y de Tu misericordia a Tus hijos extraviados y heridos. Te doy gracias porque Tu misericordia es grande e infinita.

Jesús, Te doy gracias por haber redimido al mundo con Tu Sangre y haber restablecido la paz con el Padre. Te doy gracias por Tu bondad y Tu misericordia. Jesús, Sumo y Eterno Sacerdote, Te suplico que sanes mi corazón de cualquier mal. Sana las heridas que ahora sangran en mi alma, para que pueda acoger con amor, en Tu nombre, a cualquier otro corazón que esté llagado por la culpa. Concédeme Tu gracia conciliadora, para que siempre pueda decir en Tu nombre: "Vete en paz. Tus pecados te han sido perdonados."

Señor Jesús, Te pido por todos los que vendrán hoy a confesarse conmigo. Bendice cada corazón herido, para que pueda abrirse a mí con confianza. Concédeme saber escuchar con el mismo amor con el que Tú escuchabas. Dame la caridad necesaria para infundir de nuevo el gozo como Tú lo infundías. Te pido por aquellos que sienten temor y vergüenza y que por eso no son sinceros al confesarse, sin darse cuenta de que con ello hacen aun más pesado el fardo de sus pecados. Dame un corazón sensible. Que nunca más mis labios vuelvan a pronunciar palabras de condena, sino únicamente palabras de consuelo que rediman con el poder de Tu nombre.

Derrama Tu Santo Espíritu en todos aquellos que se confiesen y sana uno a uno los corazones heridos por el pecado. Da a todo aquel que se confiese la fortaleza, para que sea capaz de crecer contínuamente en el amor y la paz. Llena con la plenitud de Tus dones el corazón de todos los que reconocen sus pecados y buscan Tu perdón. Que cada uno, renovado y sanado en virtud de este sacramento, sepa superar todas las tentaciones y pruebas. Que sepa oponerse a cualquier situación destructiva y custodie la santa llama que Tú enciendes de nuevo en su corazón, gracias al Sacramento de la Reconciliación. Vuelve Tu mirada misericordiosa sobre los que se han convertido en esclavos del pecado y que están atados a las cosas terrenas. Házlos libres Señor, con esa libertad que sólo Tú puedes dar.

A quienes se encuentran desilusionados por haber caído otra vez, concédeles nueva fuerza y valor para no ceder en la lucha contra el pecado. Haz que yo esté atento a sus problemas y así, pueda darles la absolución. Bendice cada buena decisión y estimula, con el poder de Tu Espíritu, a aquellos que no reconocen los horrores que causa el pecado, para que por fin se decidan a oponerse al mal. Que todos logremos acudir a la Confesión con la misma determinación del hijo pródigo: "¡Me levantaré e iré a mi padre!"

María, Madre mía y Madre de Nuestro Señor Jesucristo, Sumo y Eterno Sacerdote, Madre de todos los que se confiesan, a Ti me consagro en este día. Acógeme como acogiste a Tu Hijo Jesús. Haz que yo pueda ver a todos Tus hijos como hijos míos, a fin de poder ayudarlos. Consagro a Ti a todos aquellos que acudirán a la Confesión. Son todos Tuyos. Tú los has llamado y los has transformado con Tu amor de Madre.

Te pido, Madre de amor y de ternura, de misericordia y de paz, que ellos puedan crecer en el amor, la misericordia y la paz. ¡Los confío a todos a Tu protección, oh Madre! ¡Que ellos, fortalecidos con Tu auxilio maternal, se opongan al mal y al pecado! Y que socorridos por Ti, aplasten la cabeza de Satanás y resistan todas sus seducciones. Concede valor, oh Madre, a los que tienen miedo. Restaña las heridas que sangran. Enseña a todos los que aun no se han abierto a este sacramento, que la Confesión es la Fiesta de la Misericordia de Dios. Que cada alma cante Contigo el Magníficar al Señor, porque El ha hecho cosas grandes y maravillosas por medio de Jesucristo Nuestro Señor. Amén.

AL ESTAR FRENTE AL SACERDOTE

"Padre, bendígame para que yo pueda hacer esta Santa Confesión según la Voluntad de Dios y de acuerdo a las enseñanzas de la Santa Iglesia."

"La última vez que me confesé fue ..." (debo señalar la fecha aproximada); después digo mis pecados y pido el consejo del sacerdote. Escucho devotamente y presto atención a la penitencia que habré de cumplir. Si no conozco la oración penitencial habitual, puedo orar así:

Me arrepiento, Padre del Cielo, por el mal que he cometido. Me pesa haber opuesto resistencia a Tu Voluntad con mi pecado, destruyéndome así a mí mismo y a los demás. No he sido digno de ser llamado hijo Tuyo.

Renuncio a Satanás y a todas sus obras. Renuncio al pecado y prometo esforzarme en crecer en el amor, con el auxilio de Tu Santo Espíritu.

Gracias Padre, porque Tú me haces renacer de nuevo y me enseñas a hacer el bien. Que yo sea capaz de evitar el mal con todo mi corazón y empeñarme siempre por lo que es justo.

Me arrepiento de haber traicionado Tu bondad, excluyéndome así del banquete que Tú has preparado para mí. Bendíceme y sáname. Amén.

DESPUES DE LA CONFESION

¡Padre del Cielo! Te doy gracias en nombre de Jesucristo, porque con esta confesión Tú me has renovado. Gracias por la felicidad y la paz que ahora siento. Gracias por haberme conducido a tomar esta determinación de cambiar mi vida. Gracias porque ahora me puedo sentar a la Mesa que tú, con amor infinito, me has preparado. Sacia mi hambre y mi sed, porque estoy hambriento y sediento de Ti. Lléname de Tu amor. Ilumíname, porque yo soy uno que vivía en tinieblas. Condúceme de nuevo por el camino que perdí. Concédeme el gozo de vivir siempre dichoso junto a Ti.

Te pido por todos aquellos que buscan Tu amor, pero que no se atreven a acercarse a Tu mesa. Haz que todos los hombres se reúnan en una misma mesa, reconciliados y felices. Te pido por todos los que en este momento se destruyen a sí mismos y no tienen la fuerza para oponerse al pecado. Conviértelos y haz todo lo necesario, para que también ellos puedan sentarse al banquete que Tú has preparado en Tu infinita misericordia. Que nadie sea excluído del banquete final que Tú, por medio de Cristo Jesús, tienes preparado para todos Tus hijos.

Ahora Te entrego de nuevo mi corazón herido y todos los corazones heridos, para que Tú puedas renovarlos. Permite que en adelante todos Te reconozcamos y hagamos uso de los dones que Tú nos has dado según Tu voluntad.

Que sea así siempre y con cualquier persona. Amén.

SUPLEMENTO AL
EXAMEN DE CONCIENCIA

HE DESHONRADO TU SANTO NOMBRE, SEÑOR CON LA BLASFEMIA

(para quienes blasfeman)

<<No os hagáis maestros muchos de vosotros, hermanos míos, sabiendo que nosotros tendremos un juicio más severo, pues muchos caemos muchas veces. Si alguno no cae hablando, es un hombre perfecto, capaz de poner freno a todo su cuerpo. Si ponemos a los caballos frenos en la boca para que nos obedezcan, dirigimos así todo su cuerpo. Mirad también las naves aunque sean grandes y vientos impetuosos las empujen, son dirigidas por un pequeño timón adonde la voluntad del piloto quiere. Así también la lengua es un miembro pequeño y puede gloriarse de grandes cosas. Mirad qué pequeño fuego abrasa un bosque tan grande. Y la lengua es fuego, es un mundo de iniquidad; la lengua que es uno de nuestros miembros, contamina todo el cuerpo y, encendida por la gehenna, prende fuego a la rueda de la vida desde sus comienzos. Toda clase de fieras, aves, reptiles y animales marinos pueden ser domados y de hecho han sido domados por el hombre; en cambio ningún hombre ha podido domar la lengua; es un mal turbulento; está llena de veneno mortífero. Con ella bendecimos al Señor y Padre, y con ella maldecimos a los hombres, hechos a imagen de Dios; de una misma boca proceden la bendición y la maldición. Esto, hermanos míos, no debe ser así.>>

(St 3, 1-10)

ORACION

Padre, que Tu Santo Nombre sea glorificado por siempre. Gracias por habernos revelado a todos nosotros, Tus hijos, la santidad de Tu Nombre y porque muchos de Tus hijos en el mundo entero oran a Ti diciendo: "Santificado sea Tu Nombre..." A Ti toda la gloria, la alabanza y la bendición en Jesucristo, Tu Hijo, que ha celebrado la santidad de Tu Nombre y nos ha enseñado a honrarlo.

A ti toda la gloria, la alabanza y la bendición por medio de la Santísima Virgen María, Madre de Tu Hijo y Madre de todos nosotros. Porque Ella mostró con la santidad de su vida, cuán santo es Tu amor y cuán santa es Tu voluntad.

Que el cielo y la tierra Te canten alabanzas y Te glorifiquen, así como el mar y todo cuanto vive en él. Tuyas son la alabanza y la gloria por siempre. Me uno al canto de alabanza, de gloria y de bendición de toda la tierra.

Padre, yo deseo en este día arrepentirme del pecado de blasfemia. Siento vergüenza al reconocer que mi corazón se ha convertido en fuente de palabras indecentes, de toda clase de blasfemias y calumnias.

Me arrepiento, porque de mi lengua han salido las lanzas de la blasfemia contra Ti, contra Tus Santos y contra Tus creaturas. Tú querías que yo Te diera gloria con el don de la palabra. Que por medio de este don yo diera consuelo, consejo y paz a los demás. En vez de eso, yo he abusado de la palabra, para deshonrar, blasfemar, denigrar y ofender...

¡Perdóname, Padre! Purifica mi corazón, para que puede transformarse en fuente de belleza, de nobleza y de amor en el trato con mi prójimo y Contigo.

Te suplico, haz que mi decisión sea auténtica y para siempre. Ten misericordia de todos aquellos a quienes yo he escuchado blasfemar, en particular de las personas mayores que, siendo yo niño, me escandalizaron y más tarde me indujeron al mal.

Te pido por todos los blasfemos de mi pueblo. Por aquellos que no logran ya contenerse, aun cuando desean hacerlo. Libéralos Tú de ese hábito tan nocivo.

Te pido también por quienes no reconocen la blasfemia como algo negativo, porque sus corazones se han endurecido. Infunde en ellos Tu bendición y transforma sus corazones, haciéndolos de nuevo sensibles a la luz.

Protege a los pequeños que escuchan las blasfemias, peleas y palabras inconvenientes con que se expresan sus padres y otros adultos. Que sus corazones no sean envenenados con la blasfemia. Que sepan glorificarte y alabarte. Padre, ilumíname con Tu Espíritu Santo, para que, a partir de hoy, cada palabra mía sea para Tu mayor gloria.

Te pido por todos los blasfemos del mundo y también por mi pueblo. Concédenos a todos Tu Espíritu de Caridad, a fin de que sintamos en nuestros corazones la santidad de Tu Nombre y Tu majestad, ¡de tal manera que nunca más volvamos a caer en el engaño de la blasfemia!

Haz que nuestros corazones entonen un himno en honor de Tu Nombre y que todos podamos convertirnos en el pueblo que Te dé gloria por siempre y que proclame las maravillas de Tu Santo Nombre. Amén.

¡PERDONAME, POR HABER DESTRUIDO LA VIDA!

(en el caso de un aborto)

<<Le presentaban también los niños pequeños para que los tocara, y al verlo los discípulos, les reñían. Mas Jesús llamó a los niños diciendo: "Dejad que los niños vengan a mí y no se lo impidáis; porque de los que son como éstos es el Reino de Dios. Yo os aseguro: el que no reciba el Reino de Dios como un niño, no entrará en él.">>

(Lc 18, 15-17)

ORACION

¡Padre del Cielo! Tú pronunciaste una sola palabra y todo fue creado. Por medio de Tu voluntad, todo continúa existiendo. Por el calor que emana Tu corazón, todo crece y se desarrolla.

Gracias, porque Tú creaste la vida en el seno de mi madre. Bendito seas, porque Tú nos has concedido a los hombres, ser Contigo creadores de la vida.

Alabado y glorificado seas Señor, porque creaste el cuerpo de la mujer capaz de acoger la vida, de nutrirla y de darla a luz. Gracias por todos aquellos que colaboran con responsabilidad a la creación de la vida.

Oh Dios, Te confieso que yo he abusado del don recibido y de la tarea que me has confiado. Reconozco que ciertamente he caído en un error muy grave. He asesinado la vida antes de nacer. He abortado. (He instigado a alguien más a hacerlo; he colaborado en ese acto). He asesinado la vida inocente. Perdóname. Ahora comprendo que me he dejado guiar por razonamientos falsos y equivocados. Me he justificado diciendo que no podía tener más hijos, por eso me decidí a cometer ese delito. Me siento avergonzada cuando veo los hijos de otros. Me he querido disculpar, argumentando que se podía abortar en los tres primeros meses de gravidez. He creído en esa mentira, olvidando que la vida del hombre comienza desde el momento mismo de su concepción.

Me arrepiento por haberme comportado así. Hoy decido seriamente proteger la vida desde su concepción, con plena responsabilidad. Ayúdame Tú, Señor y Padre de la Vida, a tener fe en esta decisión. Infunde de nuevo el amor en mi corazón. Sólo Tu amor puede darme la fortaleza para poner en práctica mi propósito.

Oh María, Madre de todos los vivientes y Madre de la vida, enséñame a acoger la vida como Tú la has acogido. Cuando el Angel Te anunció que serías la Madre de Jesús, Tú hiciste a un lado todos Tus planes. Sabías que el Creador de todas las cosas quería la vida y por eso dijiste: "He aquí la esclava del Señor." Con Tu protección, ayúdame a levantarme de nuevo.

Oh Dios, en unión con María, Te pido por todos los papás y las mamás, por todos los jóvenes y las jóvenes, por todos los médicos y enfermeras, por toda la humanidad. Instrúyenos y ayúdanos, a fin de que seamos capaces de proteger y aceptar con amor la vida de los no nacidos.

Te pido por todas las madres que están en peligro de tomar la decisión de asesinar a sus propios hijos. Envíales a alguien que las ayude a escoger la vida. Envíame a mí y dame la fortaleza necesaria y las palabras adecuadas para salvar la vida.

Te pido por todas las mujeres y las jóvenes que ahora sufren por haber cometido un delito así. Haz que se vuelvan a Ti en busca de Tu perdón, Tu paz y Tu amor. Oro a nombre de todas ellas. ¡Escucha mi plegaria!

¡Perdona a mi pueblo por tantos abortos! No permitas

que sigamos cometiendo este terrible crimen. Bendice a todas las mujeres encinta. Bendice a todos los bebés que aun no han nacido. Que sus progenitores no tengan miedo de traerlos a la vida. Que los acojan con amor y alegría. Que la humanidad entera se decida a defender la vida de los no nacidos.

En esta confesión, yo Te presento todos los asesinatos de niños nacidos y no nacidos. Reconcílianos con nosotros mismos, para que seamos capaces de amar nuestra propia vida y la vida de los demás, Tú que vives y contínuamente concedes el donde la vida.

¡Jesús! Tú eres el fruto bendito del vientre de María Virgen. Tú que durante Tu vida en la tierra amaste y bendijiste a los niños, haz que también nosotros sepamos amarlos.

Bendice a todos los niños. Acoge en Tu reino a todos los bebés, a quienes nosotros impedimos el ingreso a la vida. Que todos podamos algún día gozar igualmente de la vida eterna en Ti y por medio de Ti, que eres la fuente de la vida.

Y todos ustedes, bebés no nacidos que fueron víctimas de nuestra violencia, perdónenos para que con ustedes podamos gozar de la beatitud eterna. Por Nuestro Señor Jesucristo. Amén.

<<¿De dónde proceden las guerras y las contiendas entre vosotros? ¿No es de vuestras pasiones que luchan en vuestros miembros? ¿Codiciáis y no poséeis? Matáis. ¿Envidiais y no podéis conseguir? Combatís y hacéis la guerra. No tenéis porque no pedís. Pedís y no recibís porque pedís mal, con la intención de malgastarlo en vuestras pasiones. ¡Adúlteros!, ¿no sabéis que la amistad con el mundo es enemistad con Dios?

Cualquiera, pues, que desée ser amigo del mundo se constituye en enemigo de Dios. ¿Pensáis que la Escritura dice en vano: Tiene deseos ardientes el espíritu que él ha hecho habitar en nosotros? Más aun, da una gracia mayor; por eso dice:

> *Dios resiste a los soberbios*
> *y da su gracia a los humildes*

Someteos, pues, a Dios; resistid al Diablo y él huirá de vosotros. Acercaos a Dios y él se acercará a vosotros. Purificaos, pecadores, las manos; limpiad los corazones, hombres irresolutos. Lamentad vuestra miseria, entristeceos y llorad. Que vuestra risa se cambie en llanto y vuestra alegría en tristeza. Humillaos ante el Señor y él os ensalzará.>>

(St 4, 1-10)

<<Sed compasivos, como vuestro Padre es compasivo. No juzguéis y no seréis juzgados, no condenéis y no seréis condenados; perdonad y seréis perdonados.>>

(Lc 6, 36-37)

<<Pedro se acercó entonces y le dijo: "Señor, ¿cuántas veces tengo que perdonar las ofensas que me haga mi hermano? ¿Hasta siete veces?" Dícele Jesús: "No te digo hasta siete veces, sino hasta setenta veces siete.">>

(Mt 18, 21-22)

ORACION

¡Padre del Cielo, bueno y caritativo! Tu Hijo Jesucristo me enseña a perdonar cualquier ofensa y a buscar el perdón por cualquier mal que yo haya causado a los otros y a Ti. El me enseña también a perdonar desde el fondo de mi corazón a todos mis enemigos. Y es que si yo no perdono a quien me ha lastimado y no busco el perdón de aquel, a quien yo he lastimado, tampoco Tú podrás perdonarme a mí...

Padre, Te doy gracias porque existe el perdón y por la oportunidad de comenzar de nuevo a amarte a Ti y a los demás. Gracias, porque Tú no le cierras la puerta al que Te llama y busca Tu misericordia.

Te alabo y Te bendigo por la misericordia que hasta ahora me has mostrado y que estás dispuesto a mostrarme siempre. Jesús, enséñame a ser misericordioso y a saber perdonar, así como yo mismo deseo ser perdonado. Fortalece mi amor, para que ya no tenga ningún sentimiento de rechazo ni de incompatibilidad hacia Ti y hacia los demás.

¡María! Tú me invitas contínuamente a la paz y a la reconciliación. Acompáñame ahora a conceder y a buscar el perdón. Enséñame a hacer lo que Tu Hijo y mi Salvador desea de mí.

Jesús, Te confieso que me cuesta mucho trabajo perdonar. Por eso vivo en discordia y lleno de incomprensión hacia los demás y hacia Ti. Te confieso que a causa de mi falta de decisión para buscar la reconciliación, en mi corazón han nacido la envidia, los celos, la maledicencia, las obras y las palabras negativas. Así, mi corazón ha sido herido y yo he herido el corazón de los otros, ¡por no querer perdonar! Por mi falta de perdón, la discordia ha entrado a mi vida, a mi familia, a mi comunidad. Al vivir en desarmonía con alguien, confieso que he sufrido y que sigo sufriendo todavía.

¡Tú sabes cuán difícil me resulta perdonar!

Por eso Te pido, que antes de que el sacerdote me conceda Tu perdón, me des la gracia de poder perdonar sinceramente a las personas con las que no estoy en paz y de quienes me separa el muro del odio, de la envidia, de los celos y del orgullo! Dame la fuerza para correr hacia ellas, abrazarlas y tenderles la mano como signo de reconciliación.

Perdóname, porque hasta ahora no le había dado ninguna importancia al acto de la reconciliación y me he justificado, atribuyendo la culpa a los demás, convencido de que debían ser ellos quienes debían buscar hacer las paces conmigo, puesto que fueron ellos los primeros en ofenderme. Me arrepiento, porque de esta manera han prevalecido en mí el egoísmo y el orgullo, en lugar de la humildad o el deseo de propiciar la armonía.

¡Perdóname! Purifica mi corazón de todos los vínculos con el pecado y de cualquier atadura a las personas y a las cosas. Libérame Señor, para que, lleno de gozo y serenidad, pueda celebrar Tu misericordia y Tu perdón.

Te pido por aquellos, a quienes yo he ofendido. Concédeles a todos la gracia de perdonarme. Haz que desaparezca cualquier discordia y rencor entre nosotros. Haz que, por medio del perdón, nos hagamos semejantes a Ti, oh Padre.

Te ruego por las familias que viven situaciones de conflicto, donde los padres no perdonan a los hijos y los hijos no perdonan a los padres, ni existe entre ellos la comprensión. Que también los cónyuges estén siempre dispuestos a perdonarse y a vivir en armonía el uno con el otro.

Te pido por todos aquellos que están en peligro de

divorciarse a causa de las incomprensiones. Te pido por quienes se han separado, para que puedan reconciliarse. Preserva a los hijos de padres divorciados del odio y la incapacidad de perdonar a sus progenitores las heridas que les han inflingido con su desamor.

Posa Tu mirada misericordiosa sobre los pueblos y sistemas de gobierno que no se deciden a tomar el camino de la paz, porque no Te conocen y no saben perdonar. Que la mano extendida en signo de paz alcance a todos los hombres.

¡Reina de la Paz, Madre de ternura, amor y misericordia! Con Tu ternura, intercede por todos nosotros, Tus hijos, que no podemos y no sabemos reconciliarnos. Tú que eres Madre de la Iglesia, obtén por medio de Tu oración constante la paz para la Iglesia entera y para todas las comunidades de la Iglesia. Que con el poder de Tu intercesión se reconcilien todas las iglesias cristianas y todas las religiones.

¡Jesús bueno! Tú nos has dado a conocer la misericordia del Padre y nos has invitado a ser misericordiosos y a perdonar. Conforme a Tu palabra, Te pido que derrames sobre todos los hombres Tu misericordia infinita para que venga a nosotros la paz, para que cada uno sepa perdonar al otro, como el Padre nos perdona a todos.

Jesús, yo quiero ser capaz de amar como Tú amas. Infunde en mí Tu Divino Espíritu. Ilumíname y ayúdame. Amén.

TAMPOCO YO TE CONDENO

ORACION

Padre del Cielo, Te doy gracias porque hoy de nuevo he podido sentir cuán grandes son Tu ternura y Tu misericordia. Te doy gracias por las palabras que el Sacerdote, iluminado por Tu gracia, me ha dicho al término de mi confesión: "Tus pecados te han sido perdonados. Vete en paz."

Ahora, deseo llevar de inmediato esta paz a mi casa, a mi familia y a las personas con quienes convivo. A partir de hoy, en virtud de Tu misericordia, yo quiero amar: quiero amarte a Ti sobre todas las cosas y a mi prójimo como a mí mismo. Deseo llevar la paz y el gozo a quienes me han ofendido y a quienes yo he ofendido a lo largo de mi vida. Cada día quiero expresarte mi gratitud, por haberme permitido reconciliarme Contigo.

Quiero estar atento a todos aquellos que me hacen el bien. Deseo reconocerte a Ti hasta en la más mínima delicadeza que las personas y Tus creaturas me reserven y agradecerte a Ti, Señor, por todo. Desde este momento Te doy gracias por todo el bien que yo logre hacer en Tu nombre. Que todo lo que yo haga sea con gozo y para gloria Tuya.

Ya que Tú no me has condenado, haz de mí un instrumento de Tu paz y de Tu amor en el mundo. Te encomiendo y Te ofrezco desde ahora todos esos momentos en los que seré sometido a prueba y las caídas que pueda sufrir a causa de mi fragilidad, traicionando Tu nombre. Que Tu amor todo lo sane y todo lo renueve.

Te entrego mi corazón herido, para que Tú lo cures y que nunca más me deje llevar por sentimientos negativos.

En particular me propongo, no volver jamás a arrojar la piedra de la condenación contra ninguno de mis hermanos. Te pido seriamente por todos los que se destruyen a sí mismos, al continuar imersos en el pecado.

Dame Tu fortaleza y la luz para poder encontrar palabras de consuelo, de aliento y de esperanza, capaces de instruir y ayudar a los demás.

Oh Dios, por intercesión de Tu Sierva, la Bienaventurada Virgen María, haz de mí un instrumento de Tu paz. Que la paz con la que el sacerdote me envía al mundo, en virtud de esta confesión, me acompañe siempre. Estas son palabras Tuyas: ¡Vete en paz!

Que la Santísima Virgen María, Madre del Amor Hermoso, me enseñe a mí y a todos Tus hijos a amar, a escuchar con amor, a orar con amor y a aceptar con amor nuestra cruz, para que Tú seas glorificado en cada hombre.

Que mi amor se acreciente día a día, hasta encontrar la plenitud de la eternidad.

LOS DIEZ MANDAMIENTOS DE DIOS

Yo soy el Señor Tu Dios:
1. No tendrás otro Dios fuera de mí.
2. No pronunciarás el nombre de Dios en vano.
3. Recordarás santificar las fiestas.
4. Honrarás a tu padre y a tu madre.
5. No matarás.
6. No cometerás actos impuros.
7. No robarás.
8. No darás falso testimonio.
9. No desearás a la mujer de tu prójimo.
10. No codiciarás los bienes de tu prójimo.

LOS MANDAMIENTOS DE LOS QUE PENDEN TODA LA LEY DE DIOS Y LOS PROFETAS (cf. Lc 10, 26)

1. Amarás al Señor tu Dios con todo tu corazón, con toda tu alma, con todas tus fuerzas, con toda tu mente y con todo tu espíritu.
2. Amarás a tu prójimo como a ti mismo.

LOS MANDAMIENTOS DE LA IGLESIA

SEGUN EL NUEVO CODIGO DE DERECHO CANONICO

1. Oir Misa entera los domingos y fiestas de precepto.
2. Confesar los pecados mortales al menos una vez al año y en peligro de muerte, o si se ha de comulgar.
3. Comulgar por lo menos una vez al año, en el tiempo de Pascua.

114

4. Hacer penitencia cuando lo manda la Iglesia.

5. Ayudar a la Iglesia en sus necesidades.

"MANDAMIENTOS POR LA VIDA"

- Creer en Dios, amarlo con todo el corazón.

- Alabar a Dios y orar a El.

- Glorificar al Señor cada domingo con la Santísima Eucaristía, en unión con todo Su pueblo.

- Recordar que yo también soy responsable por el bienestar de mi familia y no sólo mis padres.

- Prestar atención a mi salud.

- Con alegría, prestar y compartir con los demás lo que el Señor me ha dado.

- Decir siempre la verdad y no revelar los secretos que los demás me confían.

- Ejecutar con responsabilidad y a conciencia todos mis deberes.

MODELO PRACTICO PARA LA PREPARACION A LA CONFESION EN UNA CEREMONIA COMUNITARIA

(Esta ceremonia penitencial se instituyó en Medjugorje en el mes de mayo de 1986, durante una vigilia de jóvenes. Puede servir como modelo concreto para una parroquia, en una peregrinación o un retiro espiritual).

CONSEJOS PRACTICOS PARA QUIEN CONDUCE LA CEREMONIA

1. Antes de entrar a la iglesia, apagar todas las luces.

2. La oscuridad es un signo del estado del alma, agobiada por el pecado.

3. Encender el Cirio Pascual, sacarlo al atrio y procurar una vela para cada uno de los fieles y para los sacerdotes confesores.

4. Observar pausas de silencio, según la propia inspiración.

PALABRAS DE ACOMPAÑAMIENTO

Hermanos y hermanas en Cristo, ¡tantas veces nosotros, los hombres, hemos comenzado justamente así! Deberíamos ser portadores de la luz y en vez de ello la extinguimos... ¡Tantas veces hemos comenzado justamente así! En vez de ser portadores del amor, extinguimos el amor y nos convertimos en portadores del odio.

¡Tantísimas veces hemos comenzado justamente así!

En vez de ser portadores de la esperanza, nosotros matamos la esperanza y dejamos a nuestro paso tan solo desesperación.

Estamos aquí reunidos, porque hoy queremos atravesar el Mar Rojo. Hemos probado lo que significa vivir en las tinieblas y en la esclavitud y queremos encontrar de nuevo la luz.

Yo no sé qué es lo que ha sucedido en vuestros corazones en este día: lo puedo imaginar. Perdonadme, si parto del supuesto de las tinieblas que envuelven vuestro corazón.

Vosotros os sentís en este momento, como aquel que ha estado platicando con un médico: ¡habéis descubierto que estáis enfermos!

Puede ser que en vuestros corazones haya tristeza, angustia, flaqueza y vacío... Pero ahora, eso ya no importa. Aunque sintáis que las cadenas del pecado aprisionan vuestra carne, vuestros sentimientos, vuestras actitudes: no hay por qué dar lugar a la desesperación. ¡Nosotros tenemos la respuesta! ¡Jesús está con nosotros! El ha venido a traernos la luz. El ha dicho: "YO SOY LA LUZ".

Jesús, yo no deseo seguir en medio de las tinieblas. Yo busco Tu luz. Quiero Tu luz en mi corazón, en mi alma, en mi vida. Quiero Tu luz en mi familia, en mi encuentro con el prójimo.

Quiero que haya luz en mi escuela, en mis estudios, en mi trabajo.

Jesús, yo quiero esa luz y Tú te presentas a mí como la Luz.

Por eso, en este día, Te abro mi corazón.

Jesús, delante de Ti, con toda sinceridad me pregunto: ¿cómo ha sido mi vida?

117

Porque Tú eres la Luz, con toda sinceridad me pregunto: ¿cuál es mi ruta, cuál es mi camino?

Delante de Tu luz me pregunto: ¿Qué lugar ocupas Tú en mi vida? ¿Qué lugar ocupa la ley del amor a Dios Padre, a Quien Tú quieres que yo ame por sobre todas las cosas?

Yo me pregunto también, ¿dónde está mi amor por el prójimo?

¿Dónde está mi amor por aquellos que Tú me has confiado?

Jesús, yo me hago estas preguntas delante de Ti, delante de Tu luz. ¡Ayúdame a encontrar las respuestas!

Tú querías, oh Jesús, que yo recibiera siempre un nuevo alimento espiritual en la Celebración Eucarística, a través de mi encuentro con Tu Palabra y con Tu Cuerpo y Tu Sangre. Tú te has quedado ahí por mí, para mi corazón, para mi vida.

Me pregunto, ¿cómo ha sido mi participación en la Misa? Tantas veces he participado sin el corazón y por eso, mi encuentro Contigo no ha sido posible.

Jesús, delante de Ti, yo me pregunto: ¿qué he hecho con mi boca, con mi lengua? ¿Te he alabado a Ti o más bien he blasfemado Tu Nombre, haciendo el mal, ofendiendo a mis hermanos y hermanas?

Delante de Ti, yo me pregunto, oh Señor, ¿qué significan para mí el cigarro, el alcohol, la droga, el buen comer? Delante de Ti, yo me cuestiono, ¿qué significan para mí la TV, los diarios, las revistas, en qué desperdicio mi tiempo...?

Me pregunto, ¿qué significa para mí el respetar mi alma y mi cuerpo y el alma y el cuerpo de los demás?

Delante de Ti, yo me pregunto, ¿qué significa para mí una vida humana antes de su nacimiento y después de su venida al mundo? En particular me cuestiono, a la luz de Tus enseñanzas, ¿qué quiere decir para mí, ¡Tu llamado a amar a todos!?

Me pregunto, ¿qué ha ocurrido con mi plan, con el proyecto que Tú pusiste en mi corazón, en mi vida, de servirte a Ti y a los demás?

Señor, me pregunto todo esto y espero en este momento encontrar la respuesta, iluminado por Tu Santo Espíritu...

Para quien conduce la Confesión:

1. **Invitar a los fieles a renunciar al pecado;**

2. **Invitarlos asimismoa decidirse por la luz;**

3. **Encender el Cirio Pascual;**

4. **Dirigirse a los padres confesores y encender sus velas; después se recita la Oración del Confesor (pág.94).**

PALABRAS DE ACOMPAÑAMIENTO
QUE PRECEDEN AL SACRAMENTO

En el nombre de Jesucristo, yo os pregunto:

¿Renunciáis al pecado?

- ¡Renunciamos!

¿Renunciáis a todo egoísmo y a todo odio?

- ¡Renunciamos!

¿Renunciáis a todo mal, a toda influencia de Satanás?

- ¡Renunciamos!

¿Estáis dispuestos a aceptar a Jesucristo como vuestra luz?

- ¡Sí!

A nombre de todos nosotros, yo enciendo ahora el Cirio Pascual que es el signo del Señor Resucitado.

(A los sacerdotes): Vosotros, hermanos sacerdotes, delante de este pueblo de Dios yo os pregunto: ¿Estáis dispuestos en este momento a ser los siervos de la reconciliación, a liberar a los cautivos de sus pecados, a darles la absolución en el nombre del Señor y a llevar la luz al corazón de cada uno de los que se confiesen con vosotros?

- ¡Sí!

Si estáis dispuestos, os ruego, venid y tomad una vela, encendedla en el Cirio Pascual que simboliza a Jesús y entrad en la iglesia, decididos a escuchar las confesiones.

(... Mientras los sacerdotes circulan en silencio, nosotros oramos por ellos, que van a ser nuestros

intermediarios...)

Señor Jesucristo, Te pido por mis hermanos en el sacerdocio. Enciende cada corazón con Tu Corazón, ahora que ellos enciendes sus candelas. Enciende sus corazones, ahora que ellos toman la luz de Ti. Ayúdalos a conservar esa luz siempre encendida.

Señor Jesús, concede una palabra, la verdadera palabra de Tu Espíritu a mis hermanos en el sacerdocio y ayúdalos en este santo servicio. Que a través de ellos venga la reconciliación, la paz, la sanación, sobre todo aquello que el pecado ha destruído. Sana los corazones de mis hermanos en el sacerdocio. Da a todos, Señor, el gozo y la paz. Bendice a todos los sacerdotes del mundo. Que siempre estén dispuestos a escuchar a los demás hombres, sus hermanos, a quienes Tú has redimido con Tu Sangre Preciosa. Bendice también a aquellos sacerdotes cuyo fardo los ha estancado y que en estos momentos son probados por las dificultades.

(El conductor de la ceremonia se dirige ahora a los fieles. Ora por ellos, mientras acuden a los sacerdotes. Después de la confesión y la absolución, el penitente enciende su vela en la candela del sacerdote. Es el símbolo del servicio y de la reconciliación. ¡También la penitencia se reza con la vela encendida! Todo esto deberá hacerse con dignidad. Aquellos que no van a confesarse, pueden acercarse al altar, a tomar una vela. Una vez que todos los confesores han encendido su candela en el Cirio Pascual, éste deberá ser introducido a la iglesia, hasta el altar.)

Ahora os pido a vosotros, queridos hermanos y hermanas: ¡presentáos ante los sacerdotes, confesad vuestros pecados y encended vuestras candelas!

A vosotros, los que no váis a confesaros, os ruego acercaros al altar y tomar una candela. Acudid también vosotros a los sacerdotes. Si no tenéis nada qué confesar

-porque ya lo habéis hecho- decid al sacerdote el propósito que os habéis hecho este día y pedid su bendición y la fuerza de la gracia para poder cumplirlo y no olvidarlo.

Encended vuestra candela en la candela del sacerdote. Que la Iglesia esté siempre iluminada. Con cada confesión se enciende una nueva llama y cada vez habrá más claridad.

(Mientras los penitentes avanzan y toman sus velas, el que conduce la ceremonia ora:)

Señor Jesucristo, yo Te pido por estos hermanos y hermanas mías que llevan en sus manos esa vela apagada y acuden a los padres confesores. Que su encuentro con los sacerdotes que los van a escuchar, sea Tu encuentro con Tus hijos e hijas que buscan el perdón y la sanación. Concédeles fortaleza para cada una de sus decisiones.

Señor Jesucristo, concede la plenitud de Tu gracia a todos aquellos que ahora se confiesan. Que desaparezcan las tinieblas de nuestros corazones, de nuestras familias, de la Iglesia y del mundo...

Oh María, Tú eres nuestra Mamá. Tú quieres que nosotros seamos renovados y nos invitas a la purificación por medio de la reconciliación. Tú quieres que nosotros Te acojamos como nuestra Madre, tal y como Tú nos has aceptado a cada uno de nosotros como hijos Tuyos. María, intercede ante el Padre por todos nosotros. Que realmente podamos sentirnos hijos Tuyos. Que Contigo podamos convertirnos en nueva luz para el mundo, en nueva esperanza, en nueva paz, así como Tú te convertiste en la Aurora del nuevo día con el poder y la gracia de Dios.

Te pedimos Señor, que envíes sobre todos nosotros al Espíritu Santo. Oramos a Ti en unión con María, Tu humilde sierva, para que ilumines nuestro corazón. Llénalo de gozo y de amor, sánanos completamente. Que por medio de nosotros, Tu Espíritu pueda curar a todo el mundo.

(Mientras los fieles se confiesan, sería bueno cantar suavemente el Salmo Miserere (S 50) o el Himno a la Caridad (1 Cor 13) o bien, leer los textos bíblicos y meditarlos.

Puede ser, hermano o hermana, que tu pecado sea grande, muy grande y que tu corazón te condene. Pero debes saber que Dios es siempre más grande que tu corazón. Aunque tu pecado sea grande, justamente porque es tan grande, el Señor ha preparado una gracia aun más grande y ésta es nuestra esperanza.

No preguntes al Señor, ¿qué me vas a dar a cambio de que yo deje este pecado, este vicio, este hábito nocivo? No le preguntes eso, porque El es sólo Caridad y siempre da mucho más de lo que nuestro corazón pudiera desear. El es sólo Amor y Perdón ...

(Al final de la Confesión, se encienden todas las luces de la Iglesia y el celebrante invita a todos a ponerse de pie y a entonar un canto de resurrección. Después del canto, exhorta a todos a apagar las velas, ¡porque los corazones se han transformado en luces encendidas!)

Queridos hermanos y hermanas, queridos amigos, hemos comenzado en tinieblas y tantas veces hemos comenzado nuestro día, nuestra vida, en medio de la oscuridad más profunda, provocada por el pecado. Ahora podemos ver más fácilmente la luz. Te damos gracias Jesús, porque Tú eres la Luz. Te alabamos y Te bendecimos, Tú eres nuestra esperanza. Tú eres el amor y nuestra salvación.

En el nombre de la Iglesia, después de esta confesión, yo os pregunto:

¿Creéis en Dios Padre Todopoderoso, Creador del cielo y de la tierra?

- Creemos.

¿Creéis en Jesucristo, Hijo único de Dios, Nuestro

Salvador y Redentor?

- Creemos.

¿Creéis que el amor es más fuerte que el odio?

- Creemos.

¿Creéis que la luz es más fuerte que las tinieblas?

- Creemos.

¿Aceptáis en este día a la Santísima Virgen María como vuestra Madre?

- Sí.

¿Queréis en este momento poner vuestras manos, vuestras vidas, en las manos de la Santísima Virgen María?

- Sí.

Antes de volver al mundo, recibid la bendición.

En el nombre del Padre, Nuestro Creador, en el nombre de Jesucristo, Nuestro Redentor, y en el nombre del Espíritu Santo que os ha consagrado mediante el bautismo, que descienda sobre vosotros la bendición solemne de Dios.

La bendición de la paz, del gozo, del amor y de la esperanza, de la comunión y del perdón, la bendición de la luz y de la bondad, la bendición del Espíritu de Oración y del Espíritu de Humildad, de la Voluntad de Dios. La bendición de la plenitud de la vida con Dios. Vivid en la gracia y seréis por siempre benditos. Que la paz esté con vosotros. Amén.

(Sería aconsejable que los fieles lleven consigo la vela que encendieron en la iglesia, en recuerdo del momento en que tomaron la decisión de seguir a Cristo. Lo anterior,

a fin de que la candela pueda representar una invitación a la oración, al amor, al perdón y para que al hacer oración enciendan esa candela.)

LA CONFESION MENSUAL - EL DIA DE LA RECONCILIACION

<<Así pues, el que crea estar en pie, mire no caiga. No habéis sufrido tentación superior a la medida humana. Y fiel es Dios que no permitirá seáis tentados sobre vuestras fuerzas. Antes bien, con la tentación os dará modo de poderla resistir con éxito.>>

(1 Cor 10, 12-13)

En la enseñanza que la Santísima Virgen nos da para alcanzar la paz, de acuerdo a los videntes, Ella nos pide la Confesión mensual. En la comunidad de Medjugorje los primeros viernes, sábados y domingos de mes son lo que nosotros llamamos "Días de la Reconciliación".

Con toda seguridad surgirá la pregunta, ¿por qué?

A la luz de todo lo que conocemos sobre las leyes espirituales, fácilmente se puede comprender la invitación de Nuestra Señora, de acudir una vez al mes a recibir el Sacramento de la Confesión, porque el propósito de este sacramento no está únicamente relacionado con el mal que nosotros hayamos cometido, sino sobre todo con nuestro crecimiento en el amor, en la paz, en la misericordia y en el perdón. También cuando afirmemos que no tenemos nada qué confesar, esto no excluye la necesidad que tenemos, la exigencia de celebrar la reconciliación con Dios.

Y es que el Sacramento de la Reconciliación implica en sí mismo una celebración de alegría, de gozo, de comunión, de sanación y de vida. Por tanto, si nos acercamos mensualmente a la Confesión, con toda seguridad llegaremos a comprender las leyes de la vida espiritual, porque el encuentro con el sacerdote nos permitirá captar con mayor facilidad lo que hemos de hacer. Así nos resultará más sencillo decidirnos por nuestro propio crecimiento y seremos capaces de descubrir los peligros que lo obstaculizan. Las heridas derivadas de nuestro pecado serán sanadas también.

Lo más íntimo del ser humano, es decir su alma, se asemeja a una habitación amueblada. De la manera en que ésta se encuentra arreglada, podemos descubrir qué clase de persona es la que la habita. De los cuadros y de los objetos que le agradan a esa persona, claramente se ve qué cosas prefiere, qué cosas ama y ante cuáles cosas se inclina. Lo mismo es válido también para el alma.

Si regularmente penetramos en ella portando la luz divina, entonces nuestra alma estará en orden y con mayor facilidad resaltarán incluso los defectos más pequeños. Será mucho más simple superar los obstáculos y oponerse a las influencias peligrosas y negativas del mundo en que vivimos y trabajamos. Y cuando el hombre se encuentra en circunstancias felices, tendrá entonces mayores oportunidades de purificarse, de ser liberado y curado interiormente.

Todo lo que sucede en el mundo no es sino consecuencia de lo que ocurre en el alma de los hombres, que buscan justificarse a sí mismos cuando actúan empujados por el dolor que les causan sus penas, desconfianzas y tensiones. Todo esto provoca que perdamos el sentido de lo que es bello, de lo que es bueno, de lo que es noble y por tanto, perdemos también la confianza en el amor y en la paz, en la sinceridad y en la amistad. La Confesión mensual es una gran ayuda para eliminar la impureza y las fuerzas nocivas que de ella se derivan.

Cada ser humano refleja lo que él lleva en su corazón. Si lo que lleva dentro es el bien, reflejará la bondad; si es el amor, derramará amor; si es el odio, extenderá la destrucción. De esto se desprende la responsabilidad hacia él mismo, los demás seres humanos y la creación entera.

Así pues, debemos entender la Confesión no sólo como un sacramento que purifica nuestros corazones del pecado, sino también como un sacramento que nos protege contra el mal.

Si alguien trabaja en una industria donde se fabrican sustancias venenosas o en el que el lugar de trabajo por alguna causa está contaminado y resulta peligroso, lo más natural sería que adoptara las debidas precauciones. De no hacerlo así, estaría comportándose de manera irresponsable al exponer la propia vida.

El mundo de hoy no debe ser condenado, así como tampoco se condena a una persona enferma. Al igual que en el caso de un enfermo, lo que tenemos que hacer con él es tratar de ayudarlo y de comprenderlo. Sin embargo, en nuestro intento debemos protegernos contra la enfermedad del mundo, provocada por el pecado, a fin de poder vivir sanamente y ayudar a los demás a encontrar la salud del alma.

De acuerdo a los dos grupos de oración de jóvenes que se han formado en Medjugorje a petición expresa de la Santísima Virgen María, Ella ha invitado a sus miembros a la confesión semanal. Asimismo, Nuestra Señora insiste en que recibamos este sacramento como preparación a celebraciones especiales, es decir Navidad, Pascua, Pentecostés, la Asunción de María etc. Nuestra Madre Santísima no desea otra cosas para Sus hijos, que la contínua sanación espiritual a fin de que siempre puedan vivir en la paz.

LA CONFESION ANUAL

Todos nosotros sabemos que uno de los mandamientos de la Iglesia es del de confesarse al menos una vez al año y comulgar en el tiempo de Pascua. Una prescripción así tiene sus razones y éste no es el momento de analizarlas.* Con todo, una cosa es cierta: la obligación de confesarse tan solo una vez al año está latente en la conciencia de muchos creyentes.

Si hacemos un parangón entre la vida espiritual y la física o bien, si consideramos al pecado como una enfermedad, entonces podemos darnos cuenta de cuán peligroso podría ser, el pensar que solamente debemos confesarnos una vez al año. Y es que cuando surge alguna enfermedad, es obvio que se llama al médico de inmediato. Quizá alguno de nosotros sabe lo que significa escuchar de labios del médico, que se ha acudido a él demasiado tarde, porque la enfermedad se encuentra en un estado demasiado avanzado y ya no hay nada qué hacer para remediarla. ¡Qué efecto tendrán las palabras de un diagnóstico así en los oídos del enfermo! Cuando el hombre comete un pecado, cuando con ese pecado él se destruye a sí mismo y a los demás, entonces no es posible que espere tanto para ser curado. También las heridas espirituales y los conflictos interiores a la larga se muestran extremadamente peligrosos. Heridas de esa naturaleza conducen a la muerte espiritual.

Ante tales circunstancias, sería peligroso esperarse a una confesión anual. Generalmente los creyentes no llegan a comprender que el pecado es algo de lo que deben liberarse lo más pronto posible, a fin de abrirse a la caridad, a la reconciliación, al perdón. De otra suerte, corren el peligro de volverse indiferentes ante el pecado, de volverse insensibles. Esto último puede generar una condición particular y peligrosa, no sólo para el portador del pecado sino también para su familia y la comunidad en que vive. Será un cuerpo mortal para la sociedad, para el amor, para la paz y un obstáculo para cualquier progreso espiritual. Una situación así necesariamente tiene que ser modificada.

Es muy importante comprender, cuán grave resulta posponer la Confesión. Y es que no podemos esperar a curar una herida que no puede sanar por sí sola y que con el paso del tiempo se volverá siempre más crítica. De no ser así, el cristiano puede llegar a encaminarse en esa dirección, en la que, al tiempo de que está convencido de ser buen cristiano, no se asusta ya del mal, tal y como le ocurre a aquellos que no conocen a Dios. Esta perspectiva conduce al creyente a ese punto, en el que el Cristianismo es tan solo un mero elemento exterior, superficial e inmaduro y donde su relación con Dios no incluye verdaderamente a Cristo. Así se convierte en su propio árbitro, guiado por el orgullo, al servicio de las tinieblas y del mal, esclavo de su cuerpo y apartado de los frutos del Espíritu Santo. Ante tales circunstancias es fácil comprender las palabras de San Pablo, en cuanto a que muchos viven como enemigos de la cruz de Cristo, ignorantes del bien y cuyo dios es el vientre.

Por tanto, la correcta formación del cristiano no debería pasar por alto la importancia del llamado a luchar contra el pecado, incluso a costa de la vida misma, a fin de que los frutos del Espíritu puedan crecer y desarrollarse en él.

Junto a la confesión individual una vez al mes y otras confesiones en determinadas ocasiones, sería bueno pensar igualmente en la posibilidad de confesarse todos los miembros de una familia en una circunstancia especial, como podría ser un bautizo, una Primera Comunión, un matrimonio o después de alguna tensión interna. Cualquier familia podría encontrar fácilmente una ocasión así, la cual permitiría a todos sus miembros celebrar juntos el Sacramento de la Reconciliación y decidirse a comenzar a vivir con mayor conciencia la vida espiritual en familia.

En algunas regiones del mundo existe la bella costumbre de invitar a toda la comunidad parroquial a la Confesión Comunitaria durante la fiesta patronal de la parroquia.

---

*N. de la T.: El opúsculo "Mandamientos de la Iglesia, Según el Nuevo Código de Derecho Canónico" del Padre Ignacio Campero Alatorre, Ediciones Populares Guadalajara, 1989, dice lo siguiente en cuanto a la Confesión anual: "Con el precepto de la Confesión anual la Iglesia no trata de decirnos que una Confesión al año sea la frecuencia ideal para llevar a cabo una intensa vida cristiana. El fin que la Iglesia persigue con este mandamiento es asegurar que nadie viva indefinidamente en estado de pecado mortal, con peligro para su salvación eterna. Lo que Ella desea y aconseja es que los fieles acudan al Sacramento de la Confesión frecuentemente, según cada uno lo juzgue razonable." cf. Código de Derecho Canónico 246, 4; 276 2, 5o; 630 2; 719 3; 986; Comentarios 987-988.

LA CONFESION GENERAL

Sabemos que existe la así llamada Confesión General. Usualmente, en la Confesión ordinaria decimos cuándo fue la última vez que recibimos ese sacramento. Lo anterior, con el objeto de que el sacerdote pueda -con toda certeza- formarse una idea de la situación espiritual real del penitente. Pero existen también determinados momentos, en los que la persona debería hacer una Confesión General. Es decir, confesar de una sola vez todos los pecados que se han cometido a lo largo de la propia vida.

Es conveniente hacer una Confesión General en diversas ocasiones. Por ejemplo, cuando se ingresa a una comunidad religiosa, antes de ordenarse o de tomar los votos, antes de contraer matrimonio o bien, antes de cualquier evento importante en nuestra vida. Durante retiros, ejercicios espirituales o peregrinaciones. Es bueno hacer cada tanto esta Confesión General. No hay que acogerse a ella por temor a que Dios no nos haya perdonado o porque pudiéramos haber omitido u olvidado decir alguna cosa al sacerdote en confesiones anteriores. De hecho, haber omitido mencionar cualquier cosa por miedo o vergüenza no es un motivo para hacer una Confesión General.

La Confesión General es oportuna y aconsejable para nuestro crecimiento espiritual y para lograr una mejor comprensión de nuestra existencia y la protección que esperamos de Dios. Asimismo es importante para sanar las heridas que se han abierto en nuestro corazón a causa del pecado. Esto tampoco quiere decir, que constantemente tengamos que estar tocando las llagas que el pecado nos ha producido. Con todo, si hubiera alguna cosa que insistentemente se presentara en nuestro pensamiento, lo más conveniente sería acudir de nuevo a confesarnos y orar por nuestra sanación interior, a fin de que seamos capaces de aceptar el perdón de Dios.

Tener miedo de Dios o una excesiva meticulosidad al confesar nuestros pecados, lo que comunmente conocemos como escrupulosidad, no es compatible con la misericordia infinita y el amor incondicional de Dios. No obstante, si algo parecido llegara a ocurrir en nuestra vida espiritual, lo aconsejable será una obediencia absoluta al confesor. Con bastante frecuencia, estos casos se derivan de una enfermedad síquica o bien, de la desconfianza de los demás que nosotros mismos pudiéramos tener y que inconscientemente proyectamos en Dios. Asimismo puede tratarse de situaciones provocadas por asaltos del demonio. En el caso de una enfermedad síquica, ésta deberá ser atendida médicamente y seguir el consejo del confesor.

La Confesión ordinaria es ocasión para apelar al amor y a la misericordia de Dios: no hay razón para tener miedo, ni siquiera cuando se trate de una mentira o de una omisión. La Confesión General por otro lado, es un empeño particularmente interesante, del cual debemos salir llenos de gozo y serenidad, porque Dios nos ofrece la posibilidad de un nuevo comienzo en la paz y la reconciliación.